Aprendiendo a Amar

Rolland y Heidi Baker

Contenidos

Primera Parte: Pasión y Compasión

1
El Gran Banquete De Boda

"Señor, te estoy pidiendo que deshagas mi corazón y que lo hagas más grande".

Heidi: Estamos profundamente agradecidos a todas aquellas personas por todo el mundo que se acuerdan de nosotros mientras estamos escondidos en nuestro amado Mozambique. Recibimos apoyo de todas las partes del mundo y lo destinamos a dar de comer, tanto físicamente como espiritualmente, a los hambrientos que Jesús nos ha pedido que alimentemos. Me asombra como Dios ha levantado a gente tan fiel para ayudarnos a llevar a cabo Su obra. Son nuestra amada familia extendida, valoramos tanto las oraciones, el amor y los regalos extravagantes con los que cada persona contribuye para los pobres.

Recientemente, el Señor me ha estado hablando a través de la parábola del Gran Banquete en Lucas capítulo 14. Tuve el honor de ser la anfitriona de más de cuatro mil invitados en la boda de nuestra hija Crystalyn Joy con Brock Human. Fue un día glorioso y hermoso, con la luz del sol reluciendo sobre las aguas cristalinas color turquesa del Océano Índico. Crystalyn y Brock se pararon bajo un arco masivo de buganvilla. La boda tuvo lugar en la playa justo en frente de nuestra

Aldea de Gozo y 64 de nuestros niños mozambiqueños fueron parte de la boda. Los niños estaban relucientes en sus kapelanas amarillas y camisetas africanas. Rolland llevó a Crystalyn al altar. Un océano de nuestros niños africanos corrieron por las calles en su procesión nupcial, cantando gozosamente. El pastor José de Maputo y el pastor José de Pemba me ayudaron a oficiar la ceremonia. El Primer Ministro de Mozambique, gerentes de diferentes empresas y los pobres comieron juntos. Cientos de pastores y estudiantes de la escuela de misiones Harvest School ayudaron en el banquete, sirvieron platos llenos de arroz, pollo, ensalada y vasos de Coca Cola fría para beber. Cada uno de nuestros 4.000 invitados recibió un trozo de tarta. ¡Muchos de ellos comieron tarta por primera vez en sus vidas! ¡Qué deleite poder ver sus sonrisas mientras comían!. La comida fue servida durante horas y tuvimos estudiantes, misioneros y cocineros mozambiqueños haciendo tartas durante días y días.

La fiesta estuvo llena de bailes y alabanzas

Nuestra hija Crystalin y Brock el día de su boda

mozambiqueñas mientras Crystaylyn y Brock servían la tarta. Todos habíamos sentido que debíamos reproducir este banquete de boda conforme a Lucas 14:13: *"Antes bien, cuando ofrezcas un banquete, llama a pobres, mancos, cojos, ciegos, y serás bienaventurado".*

Imprimimos invitaciones para todos, y al igual que en Lucas 14:21 "Salimos por las calles y callejones de la ciudad". Después de hacer esto, yo estaba encantada de saber que todavía había más sitio, así que salimos a las calles y a las aldeas lejanas, llamando a la gente a venir para que nuestra iglesia estuviese llena. Dios anhela que su casa esté llena. Él está llamando a sus siervos a correr y llamar a los pobres para que vengan a Su increíble y hermoso banquete de boda. Él pagó por este banquete con la mismísima vida de Su hijo para que todos nosotros pudiésemos comer. Fue increíble ver el nuevo edificio de la iglesia rebosante, con todas las personas disfrutando de esta gran fiesta de boda.

Sentí como Dios sonreía sobre este servicio en el que nuestra hija se casaba frente a un impresionante atardecer mozambiqueño. Es un gozo tener a mi familia natural conmigo este verano. La semana pasada, juntos como una gran familia, viajamos al *"bush bush"* a predicar el evangelio. Para los que no están familiarizados, el "bush" en Mozambique son los lugares lejanos, remotos y a los que es difícil llegar. Hemos explorado el *"bush"* y ahora Dios nos está llamando a entrar al *"bush bush"* – los lugares donde casi ningún alma viviente ha querido arriesgarse a explorar antes. A través de baches, prados y sobre caminos sin pavimentar, rebotamos durante horas cantando en mi Land Rover. Nos encanta traer las buenas nuevas a los confines de la tierra. Más tarde, cuando cayó la noche africana, aparcamos en una aldea no alcanzada donde sólo seis personas habían escuchado del nombre de Jesús. Llegó la noche y me subí a nuestro camión de cuatro

Bautismos en el Océano Índico

Siendo sacados del barro

toneladas como si fuera un escenario improvisado para predicar. Mis hijos e hijas espirituales un drama sobre el Buen Samaritano. Yo usé este mismo pasaje para PIC (caption:) Bautismos en el Océano Índico invitar a la aldea a conocer a *mi amigo* – el que pagó todo por nosotros – El Rey Jesús. Prediqué con todo mi corazón y me encantó ver a las multitudes levantar sus manos en respuesta. ¡Querían a Dios! Una chica sorda escuchó, muchos fueron sanados y la fama de Su nombre se extendió desde esa aldea. El jefe de la aldea rebosaba de gozo y nos pidió que abriésemos un centro infantil allí mismo. A la mañana siguiente convocó a todos los ancianos de la aldea para tener una reunión conmigo. Él mismo había dado su vida al Señor en su choza de barro cuando yo compartí sobre la belleza de Cristo. Acampamos en tiendas de campaña y sacos de dormir bajo las estrellas africanas, sentados alrededor del fuego mientras los pastores-estudiantes mozambiqueños compartían sus testimonios con los estudiantes de nuestra escuela de misiones. Temprano en la mañana le cantamos una serenata a Brock para su 21 cumpleaños. ¡Qué manera más increíble y poco habitual de pasar un cumpleaños! A la mañana siguiente condujimos nuestros vehículos a la playa para bautizar a los nuevos conversos.

De camino hacia el océano, uno de mis hijos espirituales, Herbert, se atascó con su Land Rover en el barro. El año pasado había pasado dos meses viajando por todo Mozambique con este Land Rover ayudando a alimentar a las 50.000 personas que se estaban enfrentando a la hambruna. Pero hoy, su vehículo llevaba atascado en el lodo durante seis horas. La marea estaba subiendo, así que se requirió la ayuda de toda una pequeña aldea para rescatarnos. Un total de 26 nuevos amigos Makua rodearon nuestro coche durante horas, trabajando como un equipo para sacar el vehículo del barro. Si el Land Rover no hubiese estado atascado, quizás estas personas no se hubiesen salvado. Jesús se paró por nosotros; Nosotros nos paramos por ellos, pero luego ¡ellos pararon por nosotros! Me encantó no sólo dar para la aldea, sino venir para recibir también. Necesitábamos su ayuda. Todos trabajamos como una gran familia, tirando del Land Rover hasta sacarlo. ¡Lo hicimos juntos con Jesús! Ciertamente, Él nos saca de nuestro pozo fangoso para poner nuestros pies en tierra firme. Le regalamos a la aldea un regalo de tres reproductores de audio del Nuevo Testamento, generados por luz solar, los cuáles escucharán todas las noches.

Me encanta simplemente estar con mis amigos de Mozambique en sus aldeas y chozas de barro. Me encanta aprender de ellos. Vengo primero como una estudiante. Me encanta la simplicidad de su estilo de vida. Es mi gozo verles conocer a Jesús.

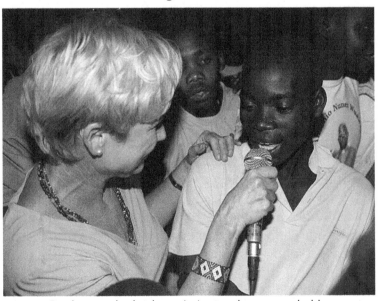

Sordo y mudo desde nacimiento, ahora oye y habla.

Aldea tras aldea le están conociendo y están siendo sacudido por el poder de Su amor. Queremos invitar a la nación entera a este banquete de boda.

Rolland: Una semana después de la campaña que Heidi describe, salimos de nuevo en nuestro Land Rover y camión de cuatro toneladas – esta vez a una aldea que no había escuchado nunca del evangelio. Nadie en la aldea conocía el nombre de Jesús. De alguna forma u otra nos habíamos saltado esta aldea en esta provincia "inalcanzable", aún después de plantar 670 iglesias desde que llegamos hace cinco años. Pero una vez más un sordo mudo fue sanado y la aldea entera fue electrificada, volviéndose a Jesús con entusiasmo. En este caso, Heidi oró por el joven sordo y de repente pudo oír. Hasta entonces, nunca había oído ni hablado una sola palabra en toda su vida. Con su nueva voz empezó a imitar las sílabas de Heidi y el público enloqueció. Todo el mundo conocía a este hombre y sabían que esto tenía que ser Dios. Aplaudiendo, aclamando y riendo, el público lo levantó en sus hombros. La esperanza llegó a la aldea, a cada persona que era como un niño con un corazón hambriento.

A la mañana siguiente, inmediatamente nos pusimos mano a la obra y compramos un pequeño terreno para construir una pequeña iglesia. Les enviaremos un pastor y luego traeremos líderes potenciales de entre ellos a nuestra escuela bíblica para ser entrenados. Ahora la aldea es parte de una gran familia y oramos para que la misericordia y la gracia, el poder y la gloria lluevan sobre su gente sin medida. Necesitarán mucha enseñanza y discipulado – algo que sucede cuando los misioneros toman su tiempo para visitar a las aldeas y pasar tiempo de tú-a-tú con su gente. Es aquí cuando sucede el mayor crecimiento espiritual.

Tiempo de reflexión:

Entonces, cuando habían acabado de desayunar, Jesús dijo a Simón Pedro: Simón, hijo de Juan, ¿me amas más que éstos? Pedro le dijo: Sí, Señor, tú sabes que te quiero. Jesús le dijo: Apacienta mis corderos.
(Juan 21:15)

Jesús nos ama tanto que nunca nos deja de la misma manera en la que nos encuentra. Su amor a menudo empieza con una pregunta – una pregunta que va más allá de la seguridad en nuestras mentes, hasta nuestros corazones. ¿Me amas? A menudo somos demasiado rápidos en responder cuando Dios nos pregunta algo. Normalmente, nuestros corazones han comprendido por completo lo que Él quiere que comprendamos. Dios está buscando afectar nuestros corazones más que nuestras mentes. Quiere deshacer nuestros corazones – para cambiar la forma en la que nuestros corazones sienten y reaccionan a las situaciones que existen en un mundo quebrantado. ¿Me amas? ¿Completarás tu obra, cumplirás tu destino a causa de quien es Cristo? Amado, esa es la única razón por la cuál hacer las cosas y es el único lugar seguro en el que estar – en Él, bebiendo de Él, empapándonos de Él una y otra vez; para ser llenados y derramados, llenados y derramados.

Día y noche Jesús es el Pan y el Vino que me sostiene. Él es todo lo que necesito. A menos que tenga más de Él, no puedo funcionar. No tengo un plan B. Algunos oradores pueden abrir su computadora y tienen estas presentaciones increíbles de PowerPoint. No me estoy burlando cuando digo que estas cosas realmente me impresionan y siempre digo "¡wow!" cuando las veo. Pero ese no soy yo. Apenas puedo manejar una computadora. Hay muchas cosas que no se me dan bien – pero sí tengo pasión por la presencia de Jesús. El clamor de mi corazón es: Dios, a menos que tú aparezcas, ¡moriré! Soy una persona desesperada. Las Escrituras dicen, "Amarás al Señor tu Dios...con toda tu mente". Somos llamados a amar a Dios con cada fibra de nuestro ser. Todos nosotros, en nuestra totalidad, debemos darnos por completo a nuestro Amo – nuestro corazón, nuestro ser, nuestra mente, nuestras emociones. Dios quiere que estemos totalmete rendidos a Él. El "Amar al Señor tu Dios...con toda tu mente". – esto es pasión. ¿Porqué querríamos ir a una sola reunión más de iglesia si no tuviéramos este tipo de pasión? Yo confieso: ¡no me gusta la iglesia! No me gusta...a menos que Dios aparezca. Sin Él no tiene sentido ¿verdad? Vamos a determinar vivir una vida de abandono a Su amor – una vida compuesta por pasión. Decide cambiar lo peor por lo mejor, la muerte por la vida, la oscuridad por la luz.

"Pero todo lo que para mí era ganancia, lo he estimado como pérdida por amor de Cristo. Y aún más, yo estimo como pérdida todas las cosas en vista del incomparable valor de conocer a Cristo Jesús, mi Señor, por quien lo he perdido todo, y lo considero como basura a fin de ganar a Cristo". (Filipenses 3:7-8)

Cuando nos rendimos realmente no perdemos nada. Sólo ganamos. Estamos ganando una vida vivida en Su amor. Oro para que rindamos nuestras pequeñas vidas a Su amor, como pequeñas semillas, pidiéndole que nos cubra con sus alas y nos riegue con el Espíritu del Dios viviente; semillas que están plantadas para vida, no muertas en la tierra ... a medida que ¡Él nos enseña cómo vivir!

Un roble comienza su vida como una bellota en la tierra. Nadie sabe que está allí. Pero dentro de esa cosa pequeña y escondida, se encuentran todos los ingredientes de la belleza, poder, esplendor y refugio. La pequeña bellota tarda una vida entera en convertirse en lo que siempre pretendió ser.

Amados, antes de cualquier otra cosa, somos Suyos, escondidos en Él.

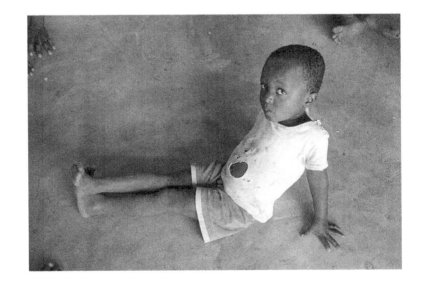

2
Viviendo Al Límite

"¿Qué es necesario para que yo conozca la vida eterna?"

Rolland: Vivimos tiempos emocionantes. A pesar de lo peor que Satanás pueda hacer, nuestra familia y nuestras iglesias en varias provincias de Mozambique continúan creciendo en número y fuerza. El Reino de Dios está entre nosotros. El poder del Cielo está irrumpiendo en nuestro mundo en la Tierra. Nos llenamos alimentándonos con la palabra de Dios y luego hacemos lo que dice que hay que hacer. Al hacer esto, nos acercamos a nuestro Salvador – tan cerca que incluso nuestra imaginación no llega a imaginar la maravilla de nuestra relación con el Hijo de Dios. Cada día, y a través de cada prueba, el Espíritu Santo nos lleva más cerca de nuestro amigo perfecto, Jesús, la imagen perfecta del Padre, cuyo Hijo es nuestro mayor gozo. Sí, Jesús será por siempre nuestro destino, nuestro propósito en la vida. "¿Cómo podemos conocerle mejor?" es el clamor constante de nuestros corazones, conforme crecemos en su naturaleza celestial. De gloria en gloria estamos siendo transformados por el poder de la cruz, preparándonos para una eternidad de comunión perfecta con nuestro Dios.

A menudo la gente quiere saber cómo seguirnos al campo misionero, cómo estar preparados, cómo "hacerlo". Lo único que podemos decir es que nuestra búsqueda de Su Reino siempre nos ha llevado al límite. Nunca hemos podido encontrar vida al alejarnos de la orilla y llevar a cabo un estilo de vida "normal" en el ministerio. A veces nuestra carne clama pidiendo más tiempo libre, más tiempo para organizar nuestra vida y posesiones, más tiempo para batallar el caos que está a nuestro alrededor. Pero nuestras crisis diarias requieren una concienciación de los planes de Satanás y una siempre creciente confianza en nuestro Salvador perfecto. Eso significa tiempo, mucho tiempo con Él, hablando acerca de todo en nuestras vidas. Y de nuestro caminar con Él recibimos la urgencia de seguir adelante, de correr la carrera, de amar a Dios con todos nuestros corazones, con todas nuestras fuerzas. Así que con cada decisión, con cada gasto, con cada proyecto que empezamos, nos acercamos más al límite.

Graduación de la escuela de misiones en nuestra casa de oración

Vivimos en una esfera de lo imposible, pero Jesús nos manda equipos, apoyo, ideas e inicitativa así que avanzamos, proseguimos hacia lo que está por delante, sin importar lo cerca del límite que estemos.

Reproductores de audio del Nuevo Testamento, generados por energía solar, para pastores cuyas habilidades de lectura son marginales

Nuestro caminar nos lleva hacia aquellos que están al otro lado de la orilla y necesitan ser rescatados – los pobres, los sin techo, los huérfanos. Ellos saben que tienen gran necesidad de ayuda práctica y espiritual y no son demasiado orgullosos para recibirla. Una vez que ven el amor, el amor verdadero del Maestro en nuestras vidas, vienen al Rey. Aldeas enteras vienen a Jesús cuando ven que Él sana a los sordos con sólo un toque y una palabra. Cuando traemos un camión lleno de comida para un banquete o reproductores de audio portátiles generados por energía solar que reproducen grabaciones de la Biblia o biblias nuevas para los pastores, o ropa, o plástico para impermeabilizar tejados de paja, el amor de Dios fluye líbremente. Luego Heidi y yo nos encontramos al borde y es tiempo de que nuestros espíritus sean llenados de nuevo. No podemos alejarnos de la orilla porque vemos que hay mucha más necesidad. Estas aldeas son áridas. La gente camina durante horas para conseguir agua, cargándola en vasijas sobre sus cabezas. Por fin tenemos maquinaria para cavar pozos, pero necesitamos ingenieros cualificados para supervisar el proceso de perforación. Un ingeniero de Estados Unidos llegará pronto con este propósito. Luego nuestros adolescentes mayores necesitan unas viviendas básicas en las que vivir, ya que las casas de niños se les han quedado pequeñas. Necesitamos comprar terreno y un edificio en el centro de Maputo para una iglesia. Necesitamos obreros que sean capaces y honestos que puedan construir nuestro colegio de primaria antes de que empiece la época de lluvias. Necesitamos difundir y sanar tensiones serias que existen entre las tribus del norte y del sur de Mozambique. Y necesitamos demostrar a los musulmanes que están a nuestro alrededor que estamos aquí por amor, puro amor a Dios. Estamos aquí para demostrar el Reino de cada manera que podamos. Necesitamos estar tan llenos del Espíritu que nuestro servicio para el Rey sea emocionante. Para eso necesitamos provisión de todo tipo – el tipo de provisión que no vemos a menos que estemos aquí, viviendo al límite.

Te invitamos, amado de Dios, a que también vivas al límite. Eso significa algo diferente para cada persona, porque tú has sido creado sólo para Él. Pero oro que tú conozcas la orilla en la que Dios te está llamando a vivir. ¿Qué significa esto de forma práctica en tu vida diaria? Amar a Dios con todo tu corazón, mente, alma y fuerza te llevará al límite de ti mismo y te encontrarás asomándote al precipicio. Sabes que estás donde Dios quiere que estés cuando sólo Él puede guardarte de no caerte. Sólo cuenta la fe que obra a través del amor. No dejemos nunca atrás la simplicidad y pureza de la devoción a Jesús. Cuando hay mucha presión en lo único en que podemos confiar es en Cristo y en Él crucificado. Existimos por el poder de la cruz, somos salvos y estamos seguros allí. Desde nuestra posición en el pie de la cruz avisamos y persuadimos hasta el límite de nuestras habilidades a las multitudes que pasan a nuestro lado. Aquellos que se dan la vuelta y nos siguen hacia el corazón de Cristo serán nuestro gozo por siempre.

Heidi: Hemos tenido un mes muy poderoso y con muchos retos. Han pasado tantas cosas que cuando pienso en las últimas semanas, parece que ha pasado un año entero. Hemos lidiado con conflictos tribales y controversias gubernamentales. Con gozo hemos construido y dedicado varias iglesias nuevas y al mismo tiempo funcionarios corruptos del gobierno local han confiscado un hogar y una iglesia. Tres de nuestros pastores fueron golpeados a causa del evangelio. Un grupo de otra religión estaba tan furioso de que estuviésemos compartiendo nuestra fe, que aunque estábamos ministrando justo afuera de nuestra propia iglesia, en nuestro terreno, empezaron a apedrear nuestros vehículos y agarraron a nuestro pastor Carlos del cuello para golpearlo. Dilo, uno de nuestros líderes de jóvenes, corrió hacia el grupo enojado que me estaba persiguiendo, para que yo pudiese escapar en nuestro Land Rover con Rolland y nuestros amigos Georgian y Winnie Banov ¡Sentí el poder del amor de Dios a través de la valentía inmensa de estos jóvenes líderes!

Después de largas horas de discusión y muchos días de oración, las cosas han empezado a estar más tranquilas. Un domingo, mientras compartía sobre cómo, a causa del amor de Cristo Jesús, habíamos escogido perdonar como cuerpo de Cristo a aquellos que nos habían atacado, un hombre musulmán vino al frente para decir que quería recibir a Jesús porque había visto su amor en acción. Entonces llamó a su mujer y a sus cinco hijos en plena luz del día para recibir a Cristo como su salvador. Más tarde la policía capturó a algunos de la pandilla enojada que habían golpeado a nuestros pastores. Nos pidieron de ir a la comisaría para que los detenidos pudiesen ser denunciados y puestos entre rejas. Pero nosotros los dejamos ir, rogándoles de no quemar nuestra iglesia. El amor lo cubre todo. Creemos que Su amor nos llenará aún en las circunstancias más difíciles.

A la noche siguiente volvimos a salir a otro alcance y cuatro sordos fueron sanados. Uno de los hombres más mayores había sido sordo durante más de veinte años. Noticias de su sanidad llegaron a los oídos de los líderes religiosos de la aldea y estaban asombrados por tal milagro. Fue entonces cuando nos dieron la bienvenida

Interpretando la parábola del Buen Samaritano

a su aldea.

Hay días cuando pienso que no puedo aguantar un momento más y luego me fortalezco en el Señor al recordar todo lo que Él ha hecho y al mirar a los ojos de un niño precioso, redimido por Su amor, al que tengo el privilegio de agarrar en mis brazos.

Donde quiera que vayamos en Cabo Delgado los niños parecen tener mucha hambre de Dios. Fuimos realmente animados por la visita a Mozambique de nuestros queridos amigos, Georgian y Winnie Banov. Su increíble equipo pagó por un banquete de cabra y todos los niños se apretujaron en la iglesia de barro para disfrutar de la sabrosa comida. Jesús siempre es bueno y nos ha llamado para derramar nuestras vidas en esta nación de retos pero a la vez fructífera.

Multiplicación de Comida

Queremos compartir este testimonio de ánimo de Juliana Calcado, una brasileña que trabaja con Iris en Tete, una provincia cálida y seca en el norte junto a la frontera árida del sur de Malawi.

"Estábamos visitando la aldea de Thapo junto a la frontera de Malawi. Esta zona es muy seca y no hay pozos de agua; el agua debe de ser cargada cada día desde el río a 30 minutos de distancia caminando. La gente está extremadamente desesperada por comida y por agua en este lugar.

Thapo no tiene electricidad ni cobertura celular, así que no podíamos avisar de que veníamos. Es una zona verdaderamente aislada y tremendamente necesitada de Mozambique.

Pensamos que habíamos cargado 18 bolsas de maíz en nuestro camión pero de camino descubrimos que por contar mal, sólo teníamos 14. No había un lugar donde pudiésemos comprar comida en Thapo y no teníamos combustible suficiente para volver al almacén.

Las consecuencia de llegar a Thapo con 4 bolsas menos significaría que muchos niños tendrían que quedarse sin una comida que tanto necesitaban.

Mientras comenzamos a repartir la comida, entregamos nuestras preocupaciones al Señor, bendecimos los alimentos y nos enfocamos en la obra que teníamos por delante. Conforme dimos, ¡Dios multiplicó el maíz y cada niño recibió su porción! Incluso tuvimos una porción extra para darle a una viuda que había venido rogando por las sobras."

Es increíble como Dios apareció en esta situación desesperante y cómo ama verdaderamente a Sus niños.

¡Sus formas de obrar son tan creativas y Él está encantado de dejarnos ser sus manos y sus pies en este mundo!

Tiempo De Reflexión:

"de manera que Cristo more por la fe en vuestros corazones; y que arraigados y cimentados en amor, seáis capaces de comprender con todos los santos cuál es la anchura, la longitud, la altura y la profundidad, y de conocer el amor de Cristo que sobrepasa el conocimiento, para que seáis llenos hasta la medida de toda la plenitud de Dios". (Efesios 3:17-19)

Cuando estás enamorado, eres diferente. Harás cualquier cosa, irás a cualquier sitio. Lo único que quieres es estar con el que amas. Esto es pasión: estar totalmente comprometido, no sólo mojando los dedos de los pies en el agua para comprobar la temperatura. Si no estás enamorado, ¿porqué servir? ¿porqué ministrar? ¿porqué aparecer por la iglesia? ¿porqué ir a otra reunión? Habíamos sido misioneros durante 26 años antes de descubrir esta verdad. Rolland incluso nació en el campo misionero. Pero nos cansábamos y nos agotábamos. ¡Hubo un tiempo en el que incluso soñaba con tener un trabajo "normal" en el que pudiera llegar a una cierta hora para el trabajo y ni siquiera tener que peinarme antes! Cuando éramos misioneros en Hong Kong era como si hubiera una competencia por ver quién podía ser más miserable, más pobre. ¿Recuerdas cuando Jesús llamó a sus discípulos con las palabras "sígueme"? En ese tiempo, nuestra versión de esto era: "Ven y sígueme, sé un misionero; odia el país, odia el clima, odia las costumbres, odia la comida. Ven y sígueme, ¡es fabuloso!"

¡Nos quedaríamos cortos si dijéramos que no estábamos entendiendo la esencia del mensaje!. Pero Dios se apoderó de nosotros y derramó en nosotros Su dulce "Espíritu Santo de amor". Nos transformó en personas que estaban completamente enamoradas, completamente comprometidas – y ese amor conlleva una energía imparable. La gente que sabe que es amada es gente confiada. Esto es lo que el apóstol Pablo, un hombre que se enamoró de Jesús y vivió al límite el resto de sus días, quería comunicarnos cuando escribió las palabras "doblo mis rodillas...que arraigados y cimentados en amor, seáis capaces..."

Cuando estás enamorado eres capaz de todo; harás cualquier cosa e irás a cualquier sitio al que te pida tu amado que vayas. Simplemente confías que tu amado esté ahí para tí. Puedes correr de cabeza a lugares oscuros si sabes que la luz te está esperando. Puedes saltar de un barco en un mar tempestuoso, puedes tomar riesgos extravagantes, puedes vivir en el precipicio porque si te caes, caes en la gracia.

Una vez estaba en una reunión con un hombre de Dios muy noble de Alemania. Él estaba compartiendo un mensaje hermoso. Cuando llegó mi turno para predicar, lo único que el Espíritu Santo me mostró decir fue: "Demasiado grande, demasiado pequeño." Durante unos 20 minutos lo único que sentí que tenía que decir, una y otra vez, fue sólo eso: "¡demasiado grande, demasiado pequeño!" el noble hombre de Dios se hubiese ido si Dios no lo hubiese pegado a la silla. (por cierto, somos buenos amigos ahora). ¿Qué quería decir ese extraño mensaje? Cuando tu mente es demasiado grande y tu corazón demasiado pequeño, no puedes ir a ningún sitio. No puedes ascender y mucho menos volar.

"porque en verdad os digo que si tenéis fe como un grano de mostaza, diréis a este monte: "Pásate de aquí allá", y se pasará; y nada os será imposible."
(Mateo 17:20)

¿De dónde viene el tipo de fe que vuela? Viene del amor, de saber quién es Jesús, de entender lo que Él piensa de ti y de darte cuenta de quién te ha creado que seas. Cuando estás enamorado tienes poder. Cuando empiezas a entender lo ancho y largo y alto y profundo que es el amor de Cristo, te empiezas a llenar. ¿Llenar de qué? Llenar de Dios, llenar del entendimiento de que sea lo que sea que Él te pida que hagas, lo puedes hacer; que dondequiera que Él te pide que vayas, puedes ir. Puedes vivir en el límite, porque aún en los lugares más oscuros, la luz te está esperando allí. Su amor, Su luz en ti y en mí. La pasión nos hace imparables.

Demasiado grande, demasiado pequeño. Para hoy y para cada mañana, continuemos mirando desde la tierra arriba hacia el cielo, a Jesús, y vivir Su amor con cada aliento, que podamos ser llenos hasta la medida de toda la plenitud de Dios. ¡No habrá nada imposible!

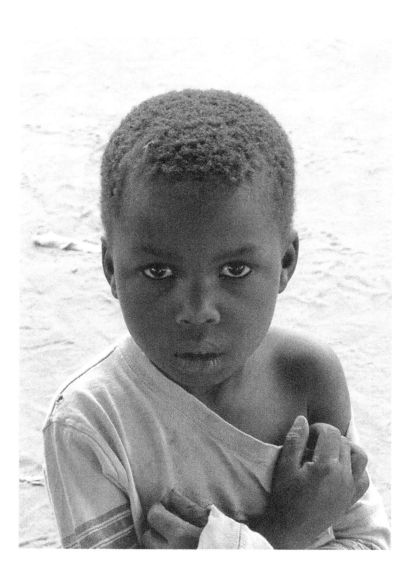

3
Noticias De Última Hora

"Todos los sedientos, venid a las aguas".

Rolland: ¡Victoria al fin! Después de años de orar, planear, llorar, trabajar y hacer contactos, este viernes 12 de Septiembre, un día dado por Dios, alcanzamos el acuífero en nuestra gran plataforma de perforación de pozos en Pemba, Mozambique.

¡Ahora podemos regocijarnos juntos!

Sabemos que la vida diaria de cientos de miles de personas será transformada por este desarrollo. Al igual que Jesús trajo dignidad y vida eterna a la mujer samaritana cuando la paró y le pidió beber del pozo, Él traerá dignidad a los pobres y vida eterna a los perdidos en Mozambique a medida que perforemos un pozo tras otro.

Conforme penetramos a través de la tierra dura y polvorienta traemos Su ayuda y Sus buenas noticias a las aldeas. Muchos de nuestros amigos mozambiqueños caminan entre dos horas y un día entero, sólo para conseguir un contenedor de agua.

Muchos hombres, mujeres y niños mueren cada año por enfermedades relacionadas con la falta de agua limpia o por su contaminación.

El deseo de nuestro corazón es perforar un pozo en

cada una de las aldeas. Con nuestra pequeña perforadora (muy mejorada por este nuevo taladro poderoso con su explosivo de minas) podremos reducir los costes de perforación en casi dos tercios.

Rolland y Heidi con la plataforma de perforación

En posición para perforar

No era solamente muy caro contratar a empresas especializadas en la perforación de pozos para hacer este trabajo, sino que también se volvió imposible en el norte de Mozambique encontrar empresas a las que alquilar la maquinaria. ¡Así que Jesús proveyó a Iris con sus propios taladros! Justo esta semana tuve una junta con un alto funcionario del gobierno que me dijo que incluso el gobierno era incapaz de encontrar una empresa que pudiese perforar pozos en esta provincia desesperada de Cabo Delgado. El funcionario estaba asombrado y emocionado de que nuestros taladros estuviesen ya en Pemba en el mismo momento en el que hablábamos.

Heidi: Durante años, este sueño que ahora se está cumpliendo, ha estado dentro de mí. Tengo una visión celestial de nuestros equipos de Iris yendo de aldea en aldea, perforando pozos, cultivando y proveyendo para los huérfanos a la vez que predican el evangelio a través de milagros y señales. Agua viva fluyendo. Entonces plantaríamos iglesias de chozas de barro cada

Nuestra gente de la iglesia ora para ver mucho fruto a través de esta máquina

cinco kilómetros, ahí donde hubiese una población para mantenerlas. Entrenaríamos a un grupo de mozambiqueños por aldea en nuestras escuelas Bíblicas. Ellos recibirían el corazón del Padre y cada uno cuidaría de uno a doce huérfanos en sus propias aldeas. Los pozos proveerían para las necesidades de los huérfanos. He tenido una visión de ver a Jesús cuidar de un millón de niños durante toda mi vida. A través del poder de Dios y su provisión, el proyecto de los pozos hará que esta visión sea una realidad.

¡La cosa ya está en marcha! Empecé hablando con cuatro líderes de la aldea sobre el proyecto de perforar pozos y la idea de que la gente de la aldea intercambie cantidades pequeñas de comida por agua, para que los huérfanos en la aldea puedan ser alimentados. Los líderes estaban entusiasmados con la idea. La iglesia local cargó nuestro Land Rover con sacrificadas ofrendas de amor que incluían: una cabra, pollos, cacahuetes, harina de maíz, tomates, pimientos, batatas, monedas, coladores, huevos, cuerdas hechas a mano, caña de azúcar, patatas y más. Lloré mientras ponían sus extravagantes ofrendas a nuestros pies con gozo. Querían proveer para nuestros niños huérfanos de Pemba. Este día ha sido verdaderamente hermoso.

El proceso de este proyecto empezó hace mucho tiempo. El 17 de octubre del 2006 mi asistente Shara y yo volamos a Denver (Colorado) para asistir a un desayuno de oración después de años de haber orado por taladros para poder sacar agua de la tierra mientras ministrábamos el Agua de Vida. Teníamos un amigo muy querido, Peter, que me había pedido que predicara a un pequeño grupo de empresarios cristianos. Shara revisó mi calendario del año 2006 y se dio cuenta de que sólo había una mañana libre durante el resto del año. Había una ventana en mi calendario el martes 17 de octubre. Peter respondió: "perfecto, el martes 17 de octubre es el día cuando un pequeño grupo de empresarios líderes se juntan para orar". Yo compartí la historia del Buen Samaritano y de Jesús deteniéndose por el de enfrente. El Señor habló a algunos de los empresarios y a Bill Johnson y a su familia en Bethel Church sobre adoptar esta visión junto con nosotros.

Después de dos años de negociar con el Gobierno de Mozambique; de traer desde la India a un experto en la perforación de pozos; de pagar impuestos; de lidiar con un papeleo interminable; de encontrar una grúa en Cabo Delgado lo suficientemente grande para levantar esta enorme perforadora; de traer otro experto en la perforación de pozos desde los Estados Unidos y de perseverar en medio de una tremenda guerra espiritual, ahora hemos llegado oficialmente al acuífero. Incluso mientras escribo estamos perforando a través de roca sólida.

Jesús es la Roca sobre la que está construyendo Su Iglesia en Mozambique. Regocíjate con nosotros mientras Él contesta Su propia invitación:

"Todos los sedientos, venid a las aguas; y los que no tenéis dinero, venid, comprad y comed. Venid, comprad vino y leche sin dinero y sin costo alguno... Inclinad vuestro oído y venid a mí, escuchad y vivirá vuestra alma; y haré con vosotros un pacto eterno, conforme a las fieles misericordias mostradas a David. (Isaías 55:1,3)

Tiempo De Reflexión:

"pero el que beba del agua que yo le daré, no tendrá sed jamás, sino que el agua que yo le daré

se convertirá en él en una fuente de agua que brota para vida eterna". La mujer le dijo: "Señor, dame esa agua, para que no tenga sed ni venga hasta aquí a sacarla". (Juan 4:14-15)

Los milagros pueden suceder en días normales y corrientes. Una mañana que había comenzado como otra cualquier, la mujer samaritana dejó su casa para ir en busca de agua del pozo más cercano. Era una mujer que había sido desechada, ignorada, olvidada, pasada por alto. No era un miembro respetado de la iglesia o un pilar en la sociedad. Su nombre era más escupido que hablado.

Yo me pregunto si mientras ella caminaba hacia el pozo, ¿reflexionaría sobre el enredo de su vida rota? Quizás estaba intentando averiguar cómo fue que se había enredado, quizás había intentado arreglar cosas pero las cosas seguían rompiéndose y todo lo que tenía estaba agrietado y seco. Había llorado hasta no poder más. La suya era una vida seca y que necesitaba agua desesperadamente.

Así que, ahora está en el pozo. Un hombre se sienta calladamente. No es como ningún hombre que había conocido antes, este hombre es Jesús, El Hijo del Dios viviente. Le pide agua, ella se siente avergonzada e inadecuada. Es incapaz y no está preparada.

Pero Él ve más allá de su inhabilidad, Él ve hasta lo profundo de su alma, lo roto y seco. Él ve las grietas. Jesús se detiene para verla bien, Él está comprometido sólo con ella. Le habla dulcemente sobre su vida, pero la ve desde otro punto de vista. Este hombre, Jesús, habla en un tono de voz que trae dulzura y no vergüenza. Su voz es todo amor. El agua ya está fluyendo sobre su vida seca. Su alma está tan acostumbrada a sobrevivir sin agua, más acostumbrada al invierno que a la lluvia de la primavera. Ella no tiene nada que ofrecer pero es amada, no es inadecuada, no es incapaz o inexperta. Sólo amada. El Agua Viva, donde sobreabunda la gracia es derramada sobre su sequedad, limpia su vergüenza y sus años de terca mugre y memorias manchadas. Ahora se siente diferente, limpia, completa. Aún más que eso, se siente preparada.

Esta mujer es amada y ahora es diferente. Puede volver a su aldea; está lista para cualquier cosa. Tiene poder, porque cuando empiezas a entender cuan ancho, largo, alto y profundo es el amor de Cristo, empiezas a llenarte de Él. Con esa plenitud viene una vida rebosante. Así que ahora, en un día que había empezado como cualquier otro, nada podrá ser igual.

Los milagros pasan en días normales y corrientes y al igual que Jesús trajo dignidad y vida eterna a la mujer samaritana cuando Él paró y le pidió agua del pozo, Él nos ofrece lo mismo a ti y a mí – una vida que rebosa – Su regalo para nosotros, nuestro regalo para otras vidas secas.

"El ladrón sólo viene para robar y matar y destruir; yo he venido para que tengan vida, y para que la tengan en abundancia". (Juan 10:10)

¿No es esa la mejor noticia?

4
Hemos Sido Bendecidos

"Dispuestos y anhelando"

Heidi: ¡Hemos sido bendecidos! Y al ser bendecidos por Dios hemos podido acoger y educar a aún más niños preciosos, alcanzar a más aldeas con el amor de Cristo, perforar más pozos y entrenar a más pastores. Queremos compartir algunas de estas bendiciones que han ocurrido en las bases de Iris alrededor del mundo. Hay tantas cosas que están pasando que no sabemos por donde empezar. El clamor de nuestro corazón es experimentar aún más del amor de Cristo y que su presencia sea derramada entre nosotros.

Durante la semana de Navidad mozambiqueña, estábamos rebotando por un camino, el polvo sobrevolaba mientras nos topábamos con baches enormes, pero nuestros corazones estaban llenos de un gozo intenso mientras cantábamos y orábamos con nuestros niños mozambiqueños en el vehículo. Íbamos camino a compartir el amor y el poder de Jesús en una aldea remota. Presentamos nuestra obra de teatro improvisada y predicamos un mensaje. Al poco tiempo, la gente estaba aplaudiendo y recibiendo a Cristo como su Señor y Salvador. Yo fui a la parte de atrás de la multitud con amigos para orar por los ciegos y por aquellos que estaban demasiado enfermos para venir hacia adelante. Después de que la primera mujer ciega fuese sanada, nos empezaron a traer a más personas ciegas. ¡Dios los sanó a todos! ¡Nunca nos cansaremos de esto! ¡Qué privilegio estar aquí ahora!.

Después de mucho planear, un contenedor llegó de Iris Reino Unido. Lo abrimos para descubrir que había suficientes regalos de Navidad fabulosos para todos nuestros niños en la Aldea de Gozo en Pemba. Vimos sonrisas anchas y ojos llenos de asombro mientras nuestros niños recibían sus hermosos regalos, observados por una casa entusiasmada y sus padres misioneros. Para nuestros nuevos tesoros, ésta era la primera vez que recibían un regalo de Navidad. ¡Se lo pasaron genial!.

"Harvest" también fue un momento culminante para mí. Lloré mientras le otorgaban un Doctorado honorario de Ministerio a Rolland. Todos los alumnos y niños se

La graduación de la Universidad Bíblica "Harvest" y de la escuela de misiones

pusieron de pie y aclamaron mientras papá Rolland fue honrado de una manera tan poderosa y significativa.

El doctor Don Kantel terminó su discurso apropiadamente con un reto para que "profundizáramos aún más". Los alumnos de todos los lugares de Mozambique y de otras veinticuatro naciones pusieron sus vidas sobre el altar mientras fueron comisionados a ir hasta el fin del mundo para llevar la gloria de Dios como amantes totalmente entregados y rendidos a Jesús.

Bautismo en el Océano Índico con Chad Dedmon y Shawn Bolz

Tuvimos un tiempo poderoso de bautismos en el Espíritu Santo en las aguas turquesas del Océano Índico. Los Makúas y Makondis que se habían convertido estaban dispuestos y deseosos de morir a sus viejas vidas y de resucitar a la nueva vida al tiempo que seguían a su Señor Jesús en el bautismo.

Hemos tenido un año de muchos retos. Junto con todos los momentos de gozo también hemos tenido momentos dolorosos. Pero continuamos hacia la meta que Él nos ha dado. Amamos a Cristo más que a la vida.

Reportes de Buenas Noticias

Aquí están sólo algunas de las cosas que nuestro Salvador ha estado haciendo en las bases de Iris.

Base en Pemba, Don Kantel:

La cosecha, tanto espiritual como natural, es nuestro lema para este año en la base de Pemba y en los otros centros a nuestro alrededor. Nuestra aldea residencial de niños de Mieze y nuestro ministerio en toda la comunidad Mieze continúan siendo una fuente de mucha bendición. Nuestros 40 niños residentes en la Aldea de Amor están ahora disfrutando del fruto de su paciencia y trabajo en nuestro proyecto de agricultura. Por citar un ejemplo, ahora mismo tenemos el cuarto ciclo de 400 pollos que están casi listos para la mesa. Una cosecha que es ansiosamente anticipada por todos estos granjeros jóvenes para quienes una cena de pollo es la mejor recompensa que jamás pudieron imaginar. También hemos estado dando de comer y cuidando a 80 gallinas que llegaron con un día hace seis meses. Seis meses es una eternidad en una cultura donde el planear y trabajar para el futuro es una cosa rara. Pero justo según lo previsto, los primeros huevos aparecieron hace unas semanas. Los niños estaban tan emocionados y no podían dejar de presumir. Después de que las gallinas hayan puesto varios cientos de huevos, los niños siguen emocionados de recoger cada huevo que ponen las gallinas. Les encantan los huevos duros y poco a poco están acostumbrándose a otros platos con huevo. Los huevos para comer son un lujo fuera de lo común en las zonas rurales de Mozambique así que nuestros niños y personal están muy agradecidos por la bendición de Dios que están experimentando a través de Su abundante cosecha. En nuestra granja de 40 acres de Mieze tenemos más de 50 árboles de mango con fruta deliciosa. Esta cosecha continuará por unos tres meses. Una iglesia en Ontario levantó una ofrenda especial para "comprar" la cosecha de la granja para que pudiésemos regalarlo en vez de venderlo. Estamos supliendo mangos a cientos de niños de Mieze a través de la iglesia. Al mismo tiempo proveemos mangos para los niños de la base de Pemba y del proyecto de Noviane.

Acabamos de empezar a dividir el terreno en parcelas de medio acre para que las familias de la iglesia puedan cultivar frutas y verduras para comer y vender. Una porción de lo que cultiven será entregado a la iglesia para distribuirlo a los pobres y para usarlo en la aldea infantil. Esta "coperativa de iglesia" será un experimento agrícola interesante. ¡Esperamos con ansia muchos tipos de cosecha en los meses venideros!

Luego tenemos que celebrar también una cosecha espiritual. La base Iris de Pemba está rodeada de casi 50,000 aldeas pobres, donde se practica otra fé. Uno de nuestros retos durante los últimos años ha sido desarrollar maneras eficaces de alcanzar a esta gente, especialmente los niños, con expresiones tangibles del amor de Dios. Hemos tenido varios tipos de programas alimenticios, pero no hemos sabido combinar estos alcances con contenido cristiano hasta hace muy poco.

Nuestra escuela de Primaria cristiana ha sido nuestro primer esfuerzo contínuo exitoso. Alrededor de 580 niños de las aldeas asistieron este último año junto con unos 130 niños residentes de Iris. Tuvimos que rechazar a algunos niños a causa de la falta de plazas, así que hemos añadido tres aulas más para el nuevo año escolar comenzando en enero. Durante los últimos meses hemos empezado un programa diario de enseñanza Bíblica, historias, juegos y una comida caliente para niños de la aldea en nuestra base en Pemba. Se trata de un programa muy intenso, hecho principalmente en Makua, involucrando a mucho personal y ayudantes cada día durante una hora y media. ¡Ahora estamos atendiendo a cerca de 600 niños cada día! Muchos ya han aceptado al Señor, están orando e incluso están teniendo visiones de Jesús. Ahora más y más de estos niños están viniendo regularmente a nuestras reuniones de iglesia en Pemba, donde justo hemos empezado a tener una hora de programa infantil. Después de las reuniones dominicales alimentamos a 800 niños o más y a   cientos de adultos.

Hemos entrenado a líderes de Mieze para dirigir un programa similar para niños de la aldea allí. Más de 300 niños entusiasmados asisten a este programa. La primera semana tuvimos arroz y frijoles preparado para alimentar a los 150 niños que esperábamos. Pero 300 o más recibieron una porción completa. ¡Parece que a Dios le gusta hacer eso para estos niños preciosos de Mieze!

Finalmente, después de muchos meses de planear y orar, parece que puede que estemos a punto de adquirir un terreno en la isla Ibo para empezar nuestra siguiente base, siguiendo el modelo de Mieze. Esta será una nueva iniciativa con muchos retos por muchas razones y requerirá mucha oración.

Base de Zimpeto, Steve y Ros Lazar:

¡Todo está creciendo! Nuestra casa de bebés ha estado completa, así que ahora tenemos un cunero construído para 8 bebés menores de 6 meses. Nuestro proyecto juvenil Maracuene continúa expandiéndose.

Misioneros, pastores y estudiantes en Lichinga

Reunión en nuestra iglesia en el centro de Lichinga

Ahora hay 10 casas y 23 jóvenes allí, más una iglesia floreciente. La organización "Samaritan's Purse Ireland" nos ha ayudado a construir un taller de carpintería. Esto proveerá oficios y empleo para varios jóvenes.

Estamos ministrando a los huérfanos y a las viudas, ascociándonos con las organizaciones "Iris Canadá" y

"Homes of Hope" para contruir nuestra primera casa para viudas. Esto acogerá a ocho mujeres mayores que dirigirán nuestra pequeña granja y proyecto de gallinas. Tuvimos la bendición de asociarnos con la Embajada de Estados Unidos y con la organización "Samaritan's Feet" para dar más de 2,000 pares de zapatos a ocho comunidades muy pobres. A cada persona se le lavaron los pies, recibieron atención médica y dental, oración y ánimo, ¡y zapatos nuevos!

Dios continúa bendiciendo nuestro programa de reintegración con unos 20 niños reunídos con sus familias en la última semana. Todos los días son un reto pero Dios es fiel y generoso con nosotros en todas las cosas.

Base de Lichinga, La Familia Wilcox:

Hemos sido testigos de muchas oraciones contestadas en nuestra pequeña esquina en Mozambique. La gente de aquí considera que la Provincia de Niassa es "la Provincia olvidada". Durante la guerra era la "Siberia" de Mozambique y los despreciados, incapacitados, desempleados y las prostitutas era enviados aquí.

Ahora Jesús está tomando lo que fue despreciado y está convirtiéndolo en algo hermoso porque,

"Mi nombre será grande entre las naciones, y en todo lugar se ofrecerá incienso a mi nombre, y ofrenda pura de cereal; pues grande será mi nombre entre las naciones —dice el SEÑOR de los ejércitos". (Malaquías 1:11)

Dios nos ha dado dos hermanos preciosos, Victo y Anold, que han estado visitando las aldeas locales. Hace poco ellos nos contaron esta historia sobre el poder de Jesús obrando:

Victo y Anold se encontraron ministrando a un

hombre profundamente molesto y a su familia. La familia no sabía qué hacer por su sobrino. Su solución era atarlo y mantenerlo en una pequeña habitación oscura para evitar que pegara a otros. No podía hablar sensatamente; lo único que salía de su boca eran disparates. Habían llamado al curandero para aplicar sus medicinas tradicionales.

"¡Pero nada de esto está funcionando!" le explico el tío a Victo y Anold. "Mi sobrino se está poniendo cada vez peor", dijo.

Victo comenzó a compartir la verdad. "Los espíritus malignos que están en el curandero hacen que el hombre esté peor. ¡La oscuridad nunca huirá de la oscuridad! ¡Sólo la luz puede causar que la oscuridad huya!"

Construyendo un dormitorio para nuestro nuevo centro en Lichinga, Provincia de Niassa

Cuando la familia se encontró frente al desafío de escoger creer en el poder de Dios o en el curandero, admitieron que tenían demasiado miedo de retirar la medicina tradicional que había sido puesta alrededor del cuello del hombre perturbado. "¡No! ¡la locura que le ha sobrevenido podría ser transferida a nosotros si le quitamos el collar y lo quemamos! Es mejor llamar al curandero para que venga y lo quite él mismo."

Anold y Victo dijeron, "nosotros creemos que nuestro Dios nunca permitirá que esta locura venga sobre nosotros. Él tiene poder y Él nos protege. Si queréis, nosotros podemos quitarle el collar y quemarlo."

Ellos aceptaron y la familia observó cómo estos hombres de Dios, africanos como ellos, trabajaron en la autoridad de Jesucristo, seguros en el conocimiento de que los espíritus malignos no tenían poder sobre ellos.

"¡Y vieron que estaban perfectamente bien!", exclamó Anold triunfalmente. "Oramos por el hombre loco y le dijimos a la familia que él estaría bien. Desde ese día, el Señor ha estado haciendo una obra increíble en la vida de este joven. La familia reconoce la obra de Dios. Su sobrino se está recuperando tanto físicamente como emocionalmente de todo por lo que pasó".

Una semana más tarde, Peter Wilcox fue a visitar a este hombre y estaba emocionado de verle en su sano juicio. ¡Ya no estaba atado!

"Debes levantarte" le dijo Peter. "Debes tomar una decisión en tu corazón y en tu mente de vencer, porque el Señor te ama mucho y tiene un plan para tu vida. ¿Lo entiendes?"

El hombre asintió con la cabeza, "Lo entiendo".

¡Alabamos a Jesús por su increíble poder y Su amor que libera! Después de ver la mano de Dios de una manera tan milagrosa, seguimos orando para que la familia y el joven den sus corazones a Jesús que lo liberó. Que todo el temor de lo que puedan decir sus vecinos sea lavado por Su gracia.

Madagascar, Carolina Thomas:

Al terminar el año pasado, Dios me guió a la escuela de misiones de Iris. Aprendí tanto y me encantó pasar tiempo con los niños. Durante las últimas dos semanas de la escuela, Dios empezó a hablarme sobre mi futuro. Heidi nos retó diciéndonos que si estábamos listos para entregar nuestras vidas para Jesús, y que si sentíamos que teníamos que contestar a Su llamado para misiones, que viniésemos y le pidiésemos a Dios que nos enseñara Sus planes. Yo fui adelante y conforme empecé a orar tuve una visión de una habitación de bebés abandonados, tirados en trapos en la oscuridad. Estaban quietos, fríos y silenciosos. Yo empecé a llorar y le pedí a Dios que me diese esos bebés. Uno a uno empezaron a morirse – primero uno, luego el otro – hasta que todos habían muerto. Entonces me enseñó una visión más de un bebé dejado en un basurero, abandonado en la oscuridad de la noche. Lloré y le supliqué a Dios, por favor, podría yo ir a ellos y ¿podrían vivir para que supiesen que eran amados?

Cuando abrí mis ojos, mi rostro estaba empapado con lágrimas, y sentada delante de mí había una niña preciosa de Iris, sólo tenía nueve años. Me agarró y me abrazó. Escuchó a Dios susurrar que ella había sido enviada, justo entonces, como una señal. Yo podría sujetar a niños para que viviesen y conociesen el amor – que al igual que la estaba sujetando a ella, les sujetaría a ellos.

Al día siguiente Heidi estaba enseñando otra vez. Al final de la clase dijo que si había gente que había visto imágenes del llamado de Dios para ellos y que si querían que Dios les enseñase un país y una ciudad, que viniese adelante y le preguntasen. ¡Salí como una bala! Le pregunté a Dios dónde estaban los bebés y Él dijo,

"Madagascar". Casi no podía creerlo ya que Madagascar es el país que amo, habiendo pasado seis meses allí previamente como partera y comadrona. Sentí que Dios me estaba diciendo que empezara una base de Iris allí ya que este era el ADN de Iris, el salvar niños abandonados y permitir que Dios los restaure para la vida. Hablé con Heidi sobre ello y me dijo que durante años, ella había estado orando para que alguien fuese a Madagascar. Después de hablar con ella y con algunos miembros del personal permanente de la base de Iris, ¡decidimos empezar Iris Madagascar con una casa de bebés! Compré un pasaje a Madagascar de camino a casa de Mozambique para visitar a mis amigos allí y preguntarles todo lo que pudiese sobre bebés abandonados. Ellos me dijeron que los bebés estaban siendo abandonados en basureros para que se muriesen. Muchos de los orfanatos estaban tan llenos que había una gran necesidad para una casa de bebés allí.

Estoy en el proceso de montar la casa de bebés de Madagascar Iris – la casa de bebés de Dios donde Él pueda restaurar a Sus preciosos bebés a la vida y que ellos puedan saber que son amados. Estoy trabajando con el papeleo para registrar a Iris, orando por el dinero y especialmente orando sobre construir el equipo correcto, el equipo que Dios ha escogido para este trabajo tan especial y emocionante!

Base Chimoio, Jennifer Wenningkamp:

¡Que increíble bendición para la ciudad de Chimoio! Desde las 8:00 de la noche los cielos han estado llenos de nubes cargadas de agua. Hemos anhelado la lluvia. Gloria a Dios porque Él ha escuchado tantas oraciones sencillas levantadas por nuestros amigos mozambiqueños por sus pequeños cultivos que estaban empezando a marchitarse en el calor africano. Ahora tenemos gozo y bendición para compartir. Dios ha respondido a nuestras oraciones. ¡Somos un cuerpo unido por todo el mundo!

Iris Sierra Leon/ "No Boundaries International", Andrew Sesay:

Cuando empecé la iglesia Beach Road, fui guiado a enseñar sobre el Espíritu Santo. La gente creyó cuando les enseñé como orar para que los enfermos fuesen sanados y ahora tenemos muchos testimonios de cómo Dios ha sanado a gente en esta joven iglesia.

Uno de los miembros de nuestra iglesia, Emmanuel, vio a una joven de otra fe con un dolor serio, un dolor de cabeza crónico. Emmanuel le preguntó si podía orar por ella. Mientras oraba, él sintió algo moviéndose desde su mano, pero nada específico pasó y él prosiguió su camino. Semanas más tarde, de nuevo vio a la chica.

Ella le dijo que después de la oración se había mareado y se fue a dormir. Soñó que venía un hombre con una larga túnica blanca, operaba en su cabeza y le quitaba algo. Cuando se despertó ya no había dolor. ¡Estaba completamente sanada!

Iris Sudán, Michele Perry:

¡Hemos crecido! De 63 niños a 84 en el recinto de la aldea infantil de Yei. También hemos adoptado otro centro en la frontera de Kenya con cerca de diez niños.

Comenzamos un programa que llamamos "Cuidado En Comunidad" para cuidar de niños huérfanos dentro de la estructura de su familia extendida. El programa provee ayudas en el área de la educacion y la alimentación. Alrededor de 40 niños están siendo cuidados de esta forma.

"Ladrillos de Esperanza" nos ha ayudado a levantar

más del 60% de los fondos necesarios para el desarrollo inicial de nuestro terreno. Hemos plantado múltiples iglesias y nos hemos asociado con varias iglesias más con las que hemos formado la Alianza de Avivamiento de Iris Sudan. Esta organización tiene por objetivo discipular a líderes con los que unirnos en oración e intercesión, uniendo nuestros corazones y voces para ver cómo los planes de Dios se llevan a cabo.

¡Nuestro equipo de ministerio permanente también está creciendo! Dios ha provisto a Jennie-Joy, una chica preciosa que estará en mi equipo personal administrativo y varias personas más van a venir a servir.

Tiempo de Reflexión:

"Un mandamiento nuevo os doy: que os améis los unos a los otros; que como yo os he amado, así también os améis los unos a los otros. En esto conocerán todos que sois mis discípulos, si os tenéis amor los unos a los otros". (Juan 13:34-35)

El Evangelio no es complicado, a pesar de que muchos nos lo quieran hacer creer. Es muy sencillo. Cristo nos ha dado todo lo que necesitamos. Es tan sencillo que un niño de tres años puede entenderlo: Ama a Dios y Ama al que tienes en frente tuya. No se trata de cómo vamos a llenar un edificio, crear una marca, o asegurarnos de que hay suficiente espacio para escaparnos de todo ello. Es simplemente esto: Ama a Dios y ama al que tienes en frente.

Yo te podría contar historias locas sobre el crecimiento de la iglesia, multiplicación de comida, ojos ciegos que se abren, oídos sordos que se abren. Pero todo empieza con una persona, con un niño; al igual que hace Cristo, significa pararse por "sólo uno". No se trata de mirarnos a nosotros, a nuestra iglesia, sino mirarle directamente a Él. Él nos ha enseñado cómo vivir con pasión, a amar con compasión. No dejes que nadie te aleje de entender Su corazón. No hagas nada por ganarte la aprobación del hombre, pero en humildad considera a otros como más importantes al tiempo que entiendes más y más por qué Su amor requiere que el primero sea el último y que el último sea el primero. A menudo en reuniones de iglesia le pedimos a la gente que se ponga de pie si quiere algo. Pero si estamos buscando apóstoles de Su amor, verdaderamente estas personas no estarán de pie, sino que ¡estarán postrados! Eso es ministerio: buscar los intereses de otros y no los nuestros propios. Eso es el amor apostólico – cuidar a otros más que a tí mismo.

Hemos sido llamados a amar a nuestro prójimo como a nosotros mismos. Eso significa que no podemos odiarnos, ¡porque no queremos duplicar eso! Así que necesitamos entender cuánto nos ama Dios a cada uno de nosotros.

Dios te ama y te encuentra; Él ama tanto quien eres ahora mismo como quien puedes llegar a ser. Él nos hizo a cada uno quienes somos, de la misma manera que niños de una misma familia pueden ser tan diferentes. Él nos ama aún cuando somos tontos y nos caemos. Siempre nos levantará y nos sacudirá el polvo. Y Él ve nuestros corazones:

Entonces los justos le responderán, diciendo: "Señor, ¿cuándo te vimos hambriento, y te dimos de comer, o sediento, y te dimos de beber? "¿Y cuándo te vimos como forastero, y te recibimos, o desnudo, y te vestimos? "¿Y cuándo te vimos enfermo, o en la cárcel, y vinimos a ti?" Respondiendo el Rey, les dirá: "En verdad os digo que en cuanto lo hicisteis a uno

*de estos hermanos míos, aun a los más pequeños, a
mí lo hicisteis." (Mateo 25-37-40)*

Esta es mi oración: Dios, abre nuestros ojos a tu amor
y compasión por el hombre, mujer o niño que está en
frente nuestro cada día. Para el que ha sido golpeado
y escupido, el que está roto, arruinado y solo. Para el
hombre rico que está hambriento en su interior, el
joven que no sabe cuándo volverá a comer, la niña con
el vestido hecho harapos. Ayúdanos a predicar en las
calles, a predicar en lo más bajo.

Jesús quiere que tú y yo le amemos a Él primero y
plenamente y que luego amemos a otra persona. Este
es el Evangelio, este es el precio, este es nuestro sitio y
nuestro propósito. ¡Esto, amado, es donde la verdadera
vida y el verdadero gozo pueden ser encontrados!

Parte Dos:

La Copa de Gozo y sufrimiento

5
Amor Imparable y Un Barco

"Él hará una senda donde parece que no hay"

Rolland: Acabamos de regresar de ministrar en algunas de las aldeas de la costa norte de Mozambique. En la primera tarde un hombre que no podía ni oir ni hablar fue milagrosamente sanado. Como siempre, fue verdaderamente una experiencia increíble. Todos los de la aldea conocían a este hombre, así que recibieron la sanidad con emoción generalizada, aclamaciones exuberantes y aplausos. ¡Ahora toda la aldea quiere seguir a Jesús!

Dormimos en la aldea y comenzamos el siguiente día, frescos a las 4:30 horas, la hora cuando toda la aldea se despertaba. Esa mañana tuvimos una boda hermosa en una iglesia en una choza de barro. La familia de la iglesia y todos los niños de la aldea cantaron con fuerza y bailaron en celebración por la unión de la pareja. Después de eso, fuimos a visitar a la gente en sus casas y oramos por los enfermos. Dios continúa haciendo milagros gloriosos entre nosotros. Tantas personas tenían hambre de alimento espiritual que se nos podría haber olvidado el hambre que tenían de comida física, pero después de desayunar vimos a niños hambrientos que rebañaban el fondo de nuestras sartenes después de que los pastores e invitados hubiesen comido. El Señor de nuevo puso sobre nuestros corazones el hecho de que el amor es visible. Así que preparamos la comida y todos los que estaban en la aldea que tenían hambre comieron. Dejamos Biblias de audio generadas por energía solar y una pelota de fútbol, luego partimos hacia otra aldea. Nuestra siguiente parada fue una aldea en la que habíamos plantado una iglesia años atrás. El pastor, joven y motivado, ha pasado por dos sesiones de entrenamiento en Iris y le va bien. No pararemos hasta que cada aldea y tribu sean alcanzadas por el amor inagotable, sin fondo y sin fin de Cristo. Su amor nos impulsa.

Heidi: La siguiente historia está muy cerca a mi corazón. En parte se trata del barco que nos llevó a nuestra misión, pero realmente se trata de amor tenaz.

Un día Rolland me estaba llevando en nuestra pequeña avioneta sobre una región de Mozambique cuando me di cuenta de que no había en esa zona ningún camino. Le pedí a Rolland que me llevase lo más abajo que pudiese ir la avioneta y cuando lo hizo, vi aldea tras aldea pasando por debajo nuestra. ¡Empecé a sollozar! Estaba sollozando porque no había caminos, así que parecía que no habría ninguna forma natural para que yo llegase a esa gente. Estaba sollozando porque yo conozco a mi Dios y ¡no puedo imaginarme que alguien en este planeta no tenga la oportunidad de conocer a Cristo! No puedo imaginarme no haciendo todo lo posible para darles la oportunidad. Lloré y le pregunté a Dios que debía hacer y Él dijo, "¡Consigue un barco!" Así que, comenzamos a orar y creímos que de alguna forma, un barco iba a ser provisto.

Durante dos años me dijeron una vez tras otra que

era imposible hacer llegar un barco a Pemba. De la misma manera, muchos de los que estáis leyendo esto estáis llamados por Dios para una gran hazaña, pero puede haber gente diciéndoos por qué no puedes ir y por qué es imposible para tí hacer lo que Dios te está diciendo que debes hacer. Puede que te intenten explicar con gran detalle lo imposible que es. Puede que citen libros sobre lo que creen que es imposible que hagas y lo que creen que es imposible que Dios haga. ¡Yo he leído ese tipo de libros! ¡Pero la Biblia nos dice lo que podemos hacer! Yo conozco a mi Dios. Si Él dice "Ve y consigue un barco" quiere decir que realmente debemos conseguir un barco.

¡Así que conseguimos un barco!

Más tarde, el gobierno dijo que no podíamos traerlo al país sin pagar un 70% de impuestos de importación. Dios había provisto así que les dije: "aquí está el dinero; ¡dame el barco!" ¡Nadie me va a parar! De hecho, me enfadé mucho con el diablo. ¿Cómo podía pensar que podría pararnos? Cuando estás enamorado, ¡eres imparable!

El barco tardó en llegar dos años y diez días. De camino, mientras estaba siendo cargado en tierra sobre terrenos rocosos, los transportistas dañaron la embarcación y causaron grietas en ambos motores. Los patrocinadores del barco vinieron a visitarnos y el barco todavía estaba allí, sentado, esperando reparaciones, cubierto de polvo y tierra en el jardín trasero de la casa de un hombre no-cristiano, que era propietario de la mayor parte de la ciudad. Su inversión no se estaba viendo muy impresionante. Yo pensé, "Dios, esto no es lo que yo tenía planeado".

Algunas veces es así. Parece que tu visión está en el campamento de alguien que ni siquiera conoce a Dios. Parece que tu visión ha sido capturada y secuestrada.

Parece que está lleno de polvo, cubierto y sin combustible. Y aún así, Dios dice, "¡Cree lo que dije! ¡Y no pares!" El amor es tenaz. La fe es tenaz. El amor no se rinde, ¡aun cuando los motores están echos polvo y tienes que pagar un 70% en impuestos! No pongas freno a Su promesa para ti. No pongas freno a tu destino. No pongas freno a Su gloria.

Tuve que seguir buscando a alguien para arreglar el barco, y hasta algunas de las personas a las que más amo me dijeron repetidamente que no se podía hacer. Finalmente, encontré un hombre filipino que me dijo que podía repararlo – ¡pero tardó otro año sólo en conseguir las partes! Después de eso, me dijeron que el buque era demasiado profundo y que no podría acercarme a esas aldeas ya que sus costas no eran lo suficientemente profundas. Así que pedí un bote. Me dijeron, una vez más, que esto no se podía hacer. Por alguna razón no podíamos conseguir un bote en Mozambique. Pero yo estaba convencida que ¡tenía que haber un bote

Heidi dejando el Nuevo Testamento generado por luz solar con nuestros amigos

disponible en algún sitio! ¡Los había visto! Alguien me dijo, "simplemente no te rindes, ¿verdad?"

¡No puedo parar! ¡Todos necesitan saber! ¡Cada tribu, cada nación, cada lengua! Soy una mujer poseída por Su corazón por los perdidos; Totalmente poseída por El que amo.

Después de unos meses más, finalmente encontramos un bote para ir con nuestro barco. El día que llevamos nuestro barco en nuestra primera campaña, uno de los motores estalló ¡Pero el otro funcionó!

Por supuesto que hubiese sido mejor tener dos motores, pero ya que teníamos uno, le dije al capitán que siguiese. Cuando llegamos a nuestra primera aldea, primero por barco y luego por bote, todos los que vivían allí vinieron corriendo hacia nosotros y pude decirles que llegaba con buenas noticias.

Compartí cada palabra que conocía en su idioma tribal, el Makua. Nunca habían escuchado el nombre de Cristo

antes de ese día. Nos sentamos en una carpintería pequeña, la cual consistía en algunos palos y un trozo roto de plástico, y compartimos todo sobre Jesús mientras algunos de los aldeanos construían muebles. Todos vinieron. Yo compartí, canté y les di unos reproductores de audio del Nuevo Testamento en Makua generados por energía solar. Cuando les pregunté quién quería recibir a Jesús, ¡Todos dijeron que sí!

¿Y si nos hubiésemos quedado cortos? ¿Y si nos hubiésemos rendido? Nunca pongas freno a tu promesa. Nunca pongas freno a tu destino. Nunca pongas freno a Su Gloria.

Unos meses más tarde volvimos a esta pequeña aldea e incluso antes de que hubiese podido salir del bote, ¡casi toda la aldea había venido corriendo, cantando canciones y recitando Escritura que habían memorizado de sus Biblias generadas por energía solar! ¡Qué gozo! Dios se ha dado a conocer a esta aldea que había sido totalmente olvidada por el mundo exterior. Ahora estamos en proceso de construir una iglesia y una escuela allí, la primera de ambas que la aldea habrá visto.

¡Qué privilegio tenemos de compartir el evangelio de Cristo Jesús! ¡Oh, gracias Jesús!. Podemos ser parte de traer la gente a Tu presencia. Podemos dar nuestras pequeñas vidas. Sin Cristo sólo somos ramitas secas. Pero Él nos llama a ser fructíferos, a la intimidad y al amor atrevido y tenaz. Cueste lo que cueste...¡lo contamos como sumo gozo!

Tiempo de Reflexión:

"Ahora me alegro de mis sufrimientos por vosotros, y en mi carne, completando lo que falta de las aflicciones de Cristo, hago mi parte por su cuerpo, que es la iglesia, de la cual fui hecho ministro

conforme a la administración de Dios que me fue dada para beneficio vuestro, a fin de llevar a cabo la predicación de la palabra de Dios, es decir, el misterio que ha estado oculto desde los siglos y generaciones pasadas, pero que ahora ha sido manifestado a sus santos, a quienes Dios quiso dar a conocer cuáles son las riquezas de la gloria de este misterio entre los gentiles, que es Cristo en vosotros, la esperanza de la gloria." (Colosenses 1:24-27)

¡Nuestras casas son demasiado pequeñas! Jesús quiere vivir en nosotros y Él quiere que nosotros vivamos completamente en Él. Nos ama tanto que dirigirá una máquina demoledora hacia nuestras pequeñas casas y diminutos corazones. Quiere que su amor tenga lugar para crecer en nosotros tanto que agrandará nuestras casas para que haya más espacio. Esto es Cristo en ti la esperanza de gloria.

Algunas personas creen que Pablo era un hombre gruñón, pero la evidencia está aquí ¡Pablo era feliz! Aquí está hablando a los Colosenses y está regocijándose en su sufrimiento. Está contento de estar sufriendo, sobreabundando en gozo al ser afligido a causa de Cristo, a quien ama más que a la vida misma. Pablo rápidamente está bebiendo de la Copa de Gozo y Sufrimiento.

¿Y si Pablo se hubiese rendido? ¿Y si hubiese puesto freno? Pablo no se rindió y Dios no se rindió con Pablo.

Dios, quien empezó a obrar en ti antes de que siquiera nacieses, antes de que supieses como decir Su nombre o incluso orar, no te dejará a medias o sin terminar. Él completará la obra que se propuso a hacer en ti y a través de ti. Nunca pongas freno a las promesas de Dios. No pongas freno a tu destino. No pongas freno a Su Gloria.

El Espíritu Santo arderá en tu vida y en la mía con

fuego santo y tenaz para que pueda invadirnos. Quiere que estemos listos para que podamos estar llenos de Jesús, llenos de esperanza, llenos de nada menos que la gloria de Dios siendo revelada a un mundo vacío y sin esperanza. Si estás vacío, si estás quebrantado entonces Él te llenará. Si sabes lo que es estar desesperado, estar totalmente necesitado, Él te nutrirá y te sostendrá. Y cuando estás lleno de Jesús, lleno de Su esperanza y de Su gloria, Cristo en ti llenará a otros igual que tú.

Un día inolvidable, Cristo tomó una máquina demoledora hacia mi corazón. Se puso frente a mí, en toda la belleza de Su presencia, y me extendió una taza de un hombre pobre, una taza hecha de medio coco. Me preguntó:

"Heidi, ésta es la Copa de Sufrimiento y Gozo, ¿la beberás?"

Yo bebí y la copa se convirtió en agua para otros. Cristo quiere que veamos como Él ve. Él miró en el infierno con los ojos de risa del Cielo. Él sufrió, Él fue torturado y Él murió. Literalmente se entregó. Él bebió de la Copa del Sufrimiento y del Gozo; Él sufrió con gozo puesto delante de Él.

No eres lo suficientemente grande, lo suficientemente fuerte, lo suficientemente preparado o espiritual para hacer la obra que Dios quiere que hagas. Pero Él si lo es. Dios es más que suficientemente grande. Él completará la obra que se propuso hacer en ti y a través de ti. Amado, no le pongas freno a Su gloria.

6
Noticias Desde Pema

"Cada Una De Sus Palabras"

Buenas Noticias desde nuestra Base en Pemba

Brian y Lorena Wood: Jesús le ha mostrado a Heidi que el amor es una cosa visible. En nuestra base de Pemba comenzamos a proveer una comida diaria para los niños de las aldeas de nuestro alrededor. Estos niños venían de familias muy pobres y para esta cultura estos pequeños son siempre la última prioridad. Pero los niños tenían hambre y no sólo un tipo de hambre. Cuando llegamos a la base de Pemba en Junio del 2008, comenzamos enseñando lecciones Bíblicas diarias a los niños mientras esperaban su comida.

"No solo de pan vivirá el hombre, sino de toda palabra que sale de la boca de Dios." (Mateo 4:4)

Con la ayuda de los estudiantes bíblicos de Harvest hemos podido dirigir nuestro programa bíblico cinco días a la semana y hemos visto crecimiento increíble en estos preciosos niños. ¡Ahora ya tenemos 800 niños aprendiendo con nosotros! Justo esta semana dedicamos un edificio nuevo para el uso del programa y para enseñar la palabra de Dios en la escuela de primaria de Iris. Como está situado en la cima del monte, nuestro compañero de trabajo, Elder, ha nombrado el edificio "Monte Sinaí".

Dice:

"Aquí hacemos énfasis en la Palabra de Dios a diario, al igual que Dios dio sus órdenes a Moisés, y Moisés se las pasó al pueblo de Israel. De la misma manera, nosotros pasamos la palabra de Dios…"

Cuando le pregunté a Elder, "¿Qué es lo mejor que has visto salir del programa de estudio bíblico?" Él respondió que era ver a los "niños que habían conocido al verdadero Dios y viendo sus vidas cambiar. Antes, los niños que venían a comer cada día no tenían respeto, amor u obediencia. Ahora, todos vemos un cambio en ellos. Conocen el amor de Jesús, cantan, hablan acerca de Él, de como Él es el camino, la verdad y la vida. Es divertido estar con niños, me encanta ver la paz y el gozo en sus rostros. Sé que con la ayuda de Dios, ayudarán a transformar las aldeas en las que viven".

"Hola, mi nombre es Tufa. Tengo diez años y he asistido al programa durante unos siete meses. Estoy agradecida a Dios por Su amor y por traerme aquí, donde puedo aprender más sobre Él y la Biblia. Estoy agradecida porque Él está cambiando mi corazón. Aquí he aprendido como hablar con Dios. Antes, cada noche era atormentada por espíritus malignos en mi habitación; No podía dormir. Pero luego, aquí aprendí acerca de Dios y empecé a orar. Ahora los espíritus ya no vienen. Mis padres están contentos de que no tengo miedo de ir a mi habitación. Recientemente, perdí la blusa del uniforme del colegio. Empecé a orar. Cuando volví a la escuela, ¡la encontré! Estoy agradecida a Dios por Su amor. Él contesta a mis oraciones".

Cuando le pregunté a Tufa "¿Qué es lo más importante

que has aprendido aquí?" me contestó, "Escuchar la palabra de Dios y seguirla". ¡Estaba tan emocionado de escuchar esto!

Consideramos que es un gran honor estar aquí y ministrar a estos queridos. Cada historia y lección es nueva para ellos, y lo que oyen lo reciben con corazones hambrientos a medida que aprenden más sobre Su Padre celestial cada día.

Tiempo de Reflexión:

Doy gracias a mi Dios siempre que me acuerdo de vosotros, orando siempre con gozo en cada una de mis oraciones por todos vosotros, por vuestra participación en el evangelio desde el primer día hasta ahora, estando convencido precisamente de esto: que el que comenzó en vosotros la buena obra, la perfeccionará hasta el día de Cristo Jesús. (Filipenses 1:3-6)

Quiero acabar bien. No quiero acabar cansada, agotada o muerta en el agua. Pablo terminó bien. Continuó haciendo lo que Dios le había pedido que hiciera y aquí está de nuevo, ¡feliz! Es un hombre feliz.

Es feliz porque Pablo sabe que no está solo. Dios está obrando de parte de Pablo, Dios está obrando en Pablo. Lo único que tiene que hacer él, es trabajar con Dios. Es una asociación incomparable y gloriosa. Dios y yo. Dios y tú. Eso es amor imparable. No nos va a dejar colgados en la estacada. Dios está con nosotros y es por nosotros. Cristo en ti esperanza de gloria.

Vivo junto al océano en Cabo Delgado y disfruto caminando por la playa. Me gusta hablar con Dios allí. A menudo observo a un grupo de hombres o mujeres arrojar una gran red al agua, dependiendo de qué tipo de red estén usando, son alrededor de 20 hombres o 20 mujeres. Cantan juntos mientras recogen las redes – Cantan y tiran, cantan y tiran. No hay ninguna manera de que nadie pudiese tirar de esas redes pesadas a solas, acabarían cansados, agotados, muertos en el agua. Así que trabajan juntos, felices; cantan y tiran, cantan y tiran. Dios nos enseñó a trabajar en compañerismo al demostrar como el Padre, Hijo y Espíritu Santo trabajan juntos; nunca a solas, siempre prefiriéndose unos a otros, estimándose unos a otros.

Eso es lo que hace que el trabajo sea un gozo – el compañerismo. Tenemos niños de hasta seis años orando por aquellos que están en necesidad, orando para que oídos sordos y ojos ciegos sean abiertos. Oran y los oídos y ojos se abren. Estos niños no tienen tres años de entrenamiento teológico, simplemente saben que Dios ofrece oportunidades de empleo en igualdad de condiciones; trabajo para todos. No podemos hacerlo a solas, tenemos que desatar a nuestros hijos e hijas, animarles, aclamarles y creer que ellos pueden hacer más que nosotros, siempre prefiriendo a otros.

De la misma manera que yo no podría si quiera tratar de cocinar para 50.000 personas sola, no puedes hacer el trabajo de Dios cuando estás aislado y eres vulnerable. Puede que tengas la fuerza de atrapar un gran pez Espada y sujetarlo en alto, pero tus brazos se cansarán y pronto no tendrás suficiente energía para toda la cosecha. Tenemos que, no sólo apoyar sino impulsar a otros – a alabar, a ministrar, a cosechar, a construir – cada uno haciendo la buena obra que él o ella fueron creado para hacer. Si nos apoyamos y nos impulsamos, no acabaremos tan agotados.

No queremos desesperarnos y frustrarnos por el hecho de que intentamos hacer todo a solas y nuestra fuerza falla; queremos entregarnos a nosotros mismos, desatar los dones y talentos de aquellos a nuestro alrededor para que ellos puedan ir más lejos que nosotros. Tomamos gran consuelo y gozo en hacer la obra de Dios juntos.

Haz lo que Dios tiene para ti, hazlo con gozo y hazlo junto a otros. Dios y yo. Dios y tú. ¡Eso es amor imparable!

7
Amor Práctico y Simple

"El amor es algo visible"

Heidi: El jueves pasado, al estilo Iris, equipos de estudiantes de la escuela de misiones, estudiantes de la universidad bíblica, misioneros y alguna visita, se subieron a nuestra caravana de Land Rovers y nos aventuramos hacia el bush de Mozambique para hacer estragos en el enemigo y ver avanzar el Reino de Dios.

En el distrito de Churie, durante la primera noche, Dios sanó a muchos de los enfermos incluyendo a tres personas sordas cuyos oídos se abrieron. A la mañana siguiente la presencia de Dios cayó fuertemente durante la reunión de alabanza y después paseamos por la aldea y fuímos a la fuente local para tener un tiempo increíble de bautismos. Durante nuestra estancia, los miembros de nuestros equipos de Iris y Makua siguieron llenos de gozo y energía. Antes de irnos, la familia musulmana que nos había permitido acampar en su terreno también aceptó a Jesús.

Por supuesto que parece que ninguno de nuestros viajes tiene lugar sin ciertas dificultades cómicas. En este viaje no teníamos el camión grande que normalmente usamos como escenario. Sin el camión, nuestros alumnos de la escuela de Harvest y de la escuela Bíblica Mozambiqueña batallaron valientemente con la obra de teatro que tenían preparada ya que no tenían ninguna de las barreras habituales donde desarrollar la obra. El resultado fue histéricamente caótico porque el público se entremezclaba con nuestros actores. Tuvimos que subir el sistema de sonido para ampliar las voces de los actores por encima del sonido del cercano público. El resultado fue ruidoso y desordenado, pero no obstante, hermoso.

Recibimos una ofrenda muy generosa de parte de esta aldea – una cabra adulta, que aportó grandes efectos sonoros mientras montaba orgullosamente en el techo de nuestro Land Rover por los caminos polvorientos que llevan hasta casa. Estamos contentos de informar que la cabra ya está acomodada sin peligro alguno, en nuestro hogar para niños Mieze junto con su nueva familia de cabras.

Una de las partes más conmovedoras de nuestro viaje fue cuando una abuela Makua nos trajo una hermosa huérfana albina llamada Mariette. Los niños albinos son complicados de cuidar en las aldeas ya que su piel y sus ojos requieren protección especial en el clima caluroso, soleado y tropical. Estamos ahora trabajando con oficiales para traer a este precioso bebé a Pemba. Hay una gran necesidad de un hogar nuevo para niños en Churie, ya que hay 48 huérfanos sólo en esta aldea que visitamos. Estamos en proceso de construir una choza allí y seguimos creyéndole a Dios por un incremento de su provisión mientras acogemos a cada huérfanos que encontramos, tanto aquí como por todo el país.

El amor es una cosa visible. Encuentra su expresión de diversas y creativas maneras. Hace cuatro años, en el Sur de Mozambique, uno de nuestros jóvenes africanos compartió su sueño de ver la alabanza mozambiqueña cambiar el mundo. En aquel entonces, no había recursos disponibles para que esta música fuese distribuida, pero el persistió en su visión.

El año pasado, ese mismo joven fue parte de un proyecto piloto en Pemba, Mozambique. Armado con equipo de grabación generosamente donado, grabó un album completo de hermosas canciones Makua titulado Voice of the One. Esperamos que las canciones influyan tanto en la cultura de aquí como en el extranjero para el Reino y que demuestren ser los primeros frutos del arte celestial indígena que está por venir.

¿Cómo se hace visible el amor para una viuda en una casa vieja? Nuestro amigo Edward Palma dice,

"Queríamos demostrar el amor del Padre a la viuda más pobre y más anciana de una manera muy tangible. Y aquí y ahora, antes de la temporada de lluvias, el amor se hace visible a través de un nuevo tejado. Con la ayuda de unos estudiantes de la escuela bíblica mozambiqueña y gracias a unos pastores, nuestro

Reparando el tejado – antes y después

equipo llegó para arreglar un tejado tan lleno de rotos y grietas que realmente no podíamos describirlo como un refugio. Mientras quitábamos la vieja cobertura, ésta se desmoronó en nuestras manos, estaba frágil por los años de sol y lluvia. Varias generaciones de mujeres estaban viviendo en la casa. La mayor lo celebró con una sonrisa brillante y desdentada.

Pronto el proyecto atrajo a muchos niños del vecindario así que dividimos a nuestro equipo: la mitad se quedó en la tierra bailando y la otra mitad, jugando con los niños. Una de las viudas de Makua y yo les enseñamos a los niños una canción, proclamando que da igual hacia donde mires no encontrarás a nadie como Jesús. Y para rematar, sólo hicieron falta unos cuantos dólares para comprar pan para todos los niños.

El mensaje del Evangelio es claro: el amor no es sólo un ideal, es una acción; el amor es una realidad, en Espíritu y en Verdad. Qué bueno es estar con los pobres y derramar amor, simple y práctico. ¡Seguiremos reparando tejados mientras nuestros recursos nos lo permitan!.

Jamie Human escribe, "¡Ayer celebramos el cumpleaños de todos nuestros niños que habían nacido en julio! Para cada uno de nuestros niños, un cumpleaños es más que simplemente un día divertido, es un recordatorio de que son adoptados en una familia. Ya no son huérfanos que no tienen nombres o cumpleaños. En estas celebraciones, queremos que cada uno de ellos experimente un renovado sentimiento especial de pertenencia.

La celebración tuvo lugar en la playa Serena de Wimbe y los niños pasaron un tiempo increíble. Uno de nuestros misioneros, Yonnie, está encargado del ministerio de la diversión – una gran prioridad aquí en Iris. Dividió a los niños en equipos y jugamos a las carreras de relevos por toda la playa. Aunque competíamos en equipos, todos estaban contentos de simplemente estar pasándolo bien, ¡como si no conocieran el concepto de ganar premios! Después de que el equipo "Alegría" ganase el último relevo, todos los niños de diferentes equipos estallaron en bailes y cantos. Están tan agradecidos de ser una familia que lo pasa bien que no hay envidias.

Cuando llegó el tiempo de repartir los regalos, todos empezaron a alabar y darle gracias a Dios y, por su puesto, ¡a bailar! Cada niño que cumplía años fue llamado hacia el centro del círculo y les dimos una bolsa de regalo con juguetes y un nuevo conjunto de ropa. Algunos de los niños y misioneros oraron una oración de bendición sobre cada niño mientras recibían sus regalos. Después todos cenamos ansiosamente el precioso pastel. Cualquier cosa dulce es un obsequio deseado en Pemba.

Los niños desean con muchas ganas estas celebraciones una vez al mes. Cada niño está tan agradecido por la provisión de Dios – de ser adoptado y por estar rodeado de gente que le ama y le apoya. ¡Qué bendición celebrar de esta manera!

Tiempo de Reflexión:

"Y esto pido en oración: que vuestro amor abunde aún más y más en conocimiento verdadero y en todo discernimiento, a fin de que escojáis lo mejor, para que seáis puros e irreprensibles para el día de Cristo; llenos del fruto de justicia que es por medio de Jesucristo, para la gloria y alabanza de Dios".
(Filipenses 1:9-11)

Cuando nos azotó el peor ciclón que había llegado a Mozambique en años, yo estaba en un barco. No era el pequeño barco que usamos para llegar a las aldeas del país a las que no se pueden llegar de otra forma, sino que estaba en un barco cómodo lleno de amigos, buena comida y bondad.

Estaba recibiendo llamadas de mis hijos, todos estaban en estado de shock. Habíamos perdido 360 iglesias, aniquiladas por las inundaciones. Yo estaba en un barco bonito, pero no quería estar en ese barco. Mi gente estaba sufriendo y yo quería salir corriendo para ir y estar con ellos, tanto, que hubiese salido volando si hubiese tenido alas.

No tenía alas, pero tengo a Rolland y él tiene sus artilujios tecnológicos, así que le rogué: "sácame de este barco, tenemos que ir a casa. ¡Por favor, llévanos a casa!"

Rolland estaba haciendo todo lo que podía por conseguir una forma de que nos fuésemos a casa a pesar del ciclón y mientras tanto yo estaba ATRAPADA. ¿Qué haces cuando estás atrapado? Puedes levantar y golpear el viento con tus puños, llorar y alterarte más y más, pero lo único que sucede es que te vuelves como una mosca atascada en una tela de araña: cuanto más batallas, más te atrapas, y rápido.

Pablo escribió, "Y esto pido en oración: que vuestro amor abunde aún más y más en conocimiento verdadero y en todo discernimiento, a fin de que escojáis lo mejor".

¿Qué es lo mejor? Cuando estás atrapado lo mejor que puedes hacer es preguntarle a tu Padre amoroso ¿Qué es lo mejor? Cristo dijo, "Sólo hago lo que veo hacer al Padre". No tiene sentido bajar de un barco si tienes que estar en él. ¿Quizás esa misma cosa en la que estás atrapado es su voluntad? Pues, entonces bebes de la copa del sufrimiento y del gozo, encontrando gozo en hacer lo que tienes que estar haciendo – ¡aún si tú tienes una idea "mejor" de donde deberías estar y de lo que deberías estar haciendo!

En Mozambique decenas de miles de personas estaban siendo despachadas y estaban perdiendo sus casas. "Dios, ¿porqué no puedo llegar a casa?" Yo quería saber. "¡Quiero estar con mis hijos e hijas!" Protesté. Esto es lo que Él me dijo:

"Termina tu encargo Heidi. Suelta a tus hijos e hijas. Libéralos. Los has criado bien, ahora lánzalos".

Cuando sé lo que Dios quiere, entonces puedo hacerlo, puedo relajarme y quitarme de en medio. Así que me quedé en el barco. ¿Sabes quién sacó los camiones? ¿Quién dirigió las obras de ayuda humanitaria? Uno de nuestros hijos. Previamente había sido un delincuente, hasta que un día lo encontramos al lado del camino con un cuchillo en la mano y nos dijo "Me tenéis que llevar con vosotros".

Ha estado con nosotros desde entonces. Suelta a tus hijos e hijas, dales las llaves de tu camión. Sí, pueden estrellarlo u olvidarse de ponerle el aceite, pero ¿cómo aprende alguien a ser responsable sin tener responsabilidad y equivocarse al igual que hicimos nosotros?

Dios me dijo que terminase el encargo que Él me había dado; quedarme en el barco. No interfieras con la Gloria de Dios. No le pongas freno. Fija tus ojos en Él. Confía en Su amor. Él siempre es más que suficiente. Oro para que tu amor abunde más y más para que conozcas a Dios, así podrás discernir que es lo mejor, podrás saber en tu corazón lo que Él quiere que hagas, y confiarás en Él para hacer lo que sólo Él puede hacer.

8
Un Día En Nuestras Vidas

"Él ha hecho grandes cosas".

Heidi: Anoche hicimos una campaña perfectamente normal. Lo que es decir, que casi toda la aldea dio su vida al Señor en la primera noche, y un niño joven que era sordo recibió sanidad. Nos fuímos a dormir felices en nuestras tiendas de campaña colocadas en círculo.

El día siguiente comenzó a las 3:00am cuando los niños que dormían en la choza de barro más cercana vinieron a barrer el polvo alrededor de nuestras tiendas y mirarnos a través de las mosquiteras. Miré hacia arriba para ver estrellas fugaces disparándose a través del increíble cielo africano - ¡nuestro propio hotel de mil millones de estrellas! Le di gracias a Jesús por el privilegio de estar en un lugar tan hambriento y empecé a hervir agua para la bebida más feliz y reconfortante del bush: un café de Starbucks.

Después de servir a unos 50 de nuestros amigos, tuve el gozo de llevar al Señor a los policías que habían vigilado nuestras tiendas y vehículos durante esta campaña. Oraron con sus AK-47s colgando de sus hombros. Esta es una zona peligrosa y la última vez que estuvimos aquí muchas de nuestras cosas fueron robadas. Perdí mi teléfono, cámara, pasaporte y ropa. Con el tiempo, mis documentos y ropa regresaron después de que uno de nuestros niños decidió perseguir a los delincuentes en medio de la noche, aunque en esa ocasión ¡la ropa volvió con una bala en ella!

Después de orar con la policía, visitamos Mariata, en el distrito de Mecufi, para asistir a una doble boda. La iglesia local de barro era demasiado pequeña para todos los invitados, así que para la ceremonia nos colocamos bajo la sombra de un árbol gigante y hermoso. Las dos parejas se sentaron en una esterilla de paja y los aldeanos locales alabaron celebrando junto con nuestros pastores. Fuimos enormemente bendecidos de poder poner anillos de oro en cada una de las manos de las parejas. Una de las parejas tenía un bebé recien nacido de cinco días y la dedicamos al Señor Jesús. Luego empezamos a caminar felizmente hacia un río cercano para que pudiésemos bautizar a todos los nuevos creyentes que nos habían acompañado.

De camino, nos encontramos con una niña de cinco años llamada Joanna. Joanna en la vida había caminado y sus rodillas estaban llenas de callos debido a que había pasado años arrastrándose en la tierra. Sentí la compasión del Padre hacia ella, así que la levanté de las manos y la llamé a andar. Estabilicé sus piernas larguiruchas y la bendije para venir. Muchos de nosotros lloramos cuando lo hizo, caminando por primera vez. ¡Qué gozo! Imagina, ¡podemos estar vivos en un tiempo como éste!

Durante los bautismos, los niños pequeños estaban haciendo volteretas en la playa. Después, mi hija Crystlayn y yo salimos disparadas nadando con una pequeña manada de

niños detrás. Nos dimos cuenta por las pegatinas calcomanías que estos niños habían estado en nuestra reunión de niños esa mañana, así que les preguntamos si ellos también querían seguir a Jesús para siempre. Otras seis vidas decidieron bautizarse y seguir al Señor Jesús. Después de un largo camino de regreso a nuestros vehículos y tras habernos comido rápidamennte un plato rápido de frijoles y arroz, volvimos corriendo a Pemba a través de los caminos polvorientos de tierra para asistir a nuestra fiesta mensual de cumpleaños en Iris. Siempre es un gran privilegio el poder mirar a cada uno de estos niños a los ojos y hablarles sobre el destino glorioso y especial que el Padre tiene planeado para cada uno de ellos. Cada uno recibe un regalo, mucha oración y un trozo de nuestro pastel casero. Algunas de nuestras niñas se quedan despiertas toda la noche cocinando emocionadas para la ocasión. Cada mes esperamos con ansias este magnífico día.

Después de unas cuantas reuniones para hablar sobre algunos de nuestros próximos nuevos programas de apadrinamiento personal de niños y sobre cómo combatir pobreza, tres de los niños más mayores, que han estado con nosotros desde que eran niños pequeños y ahora son líderes en nuestro ministerio, nos sorprendieron con una cena de pescado. Habían preparado la comida fabulosa ellos mismos con gran amor. Ciertamente creo que acabo de tener un día perfecto. Toda gloria al Padre, grandes cosas Él ha hecho.

Tiempo de Reflexión:

> *"conforme a mi anhelo y esperanza de que en nada seré avergonzado, sino que con toda confianza, aun ahora, como siempre, Cristo será exaltado en mi cuerpo, ya sea por vida o por muerte. Pues para mí, el vivir es Cristo y el morir es ganancia. Pero si el vivir en la carne, esto significa para mí una labor fructífera, entonces, no sé cuál escoger". (Philippians 1:20-22)*

El vivir es Cristo, el morir es ganancia. Tenemos que dejar a un lado nuestras ideas preconcebidas, nuestros planes cuidadosamente organizados, nuestra forma de hacer las cosas, para que Dios pueda vivir en nosotros. Necesitamos vida nueva, Su vida. Si vamos a dejar espacio en nosotros para llevar Su gloria entonces necesitamos morir primero. Necesitamos tomar nuestro lugar en la cruz y decir, como dijo Jesús,

"No se haga mi voluntad Dios, sino la tuya. Yo beberé

de la copa que me has llamado a beber, cueste lo que cueste".

Finalmente, me bajé del cómodo barco en el que Dios me había dicho que permaneciera. Después de que el ciclón golpease Mozambique, el gobierno le había dicho a Iris que la única manera en la que podríamos involucrarnos en la ayuda humanitaria era si aceptábamos alimentar a todas las personas que estaban en los campamentos para refugiados– 6.000 en un campo, 6.000 en otro, y así sucesivamente.

Los niños en esos campos tenían tanta hambre que ya ni si quiera estaban llorando. Estaban silenciosamente sentados o acostados en la tierra con sus estómagos hinchados y sus madres muriéndose por todos lados. ¿Qué haces? ¿Miras hacia otro lado y te resignas a lo inevitable? ¿Escuchas esa pequeña voz que te dice el porqué sería imposible alimentar a tantas personas?

"Oro para que tenga suficiente confianza", dijo Pablo. Suficiente confianza y valor para mirar al ojo de la tormenta y de la hambruna, mirar ahí a todo el sufrimiento y ver la provisión del Cielo. Suficiente valor para beber de la copa a la que has sido llamado a beber. Esto era sufrimiento a una escala diferente. Nada te puede preparar para ello.

"¿Confías en mí, Heidi? De gritar "¡Nooo!" estaba aprendiendo a decir "¡Sí Señor! Sí, creo que podemos alimentar a estos bebés que ya no tienen suficiente fuerza ni para llorar. Tú te diste a ti mismo, Tú diste todo lo que tenías y siempre es más que suficiente".

En la semana que duró la crisis, recibimos tantos contenedores de comida como los que habíamos recibido en los últimos doce años combinados. Cada día alimentábamos a 12.000 personas y luego alimentábamos a más. Los camiones venían y las personas eran alimentadas. De esto se trata la copa de gozo y sufrimiento.

Ver lo que Dios ve, algo imposible, algo que no puedes empezar a comprender, algo que quieres arreglar. Pero si intentas y lo arreglaras a solas, sólo te cansarás y te morirás de agotamiento. Así que ¿porqué no beber de la copa y dejar tu carga imposible para Jesús? No se haga mi voluntad sino la tuya Señor. Este no era mi tiempo, este era el tiempo para nuestros hijos e hijas, para que nuestra familia hiciese lo que fue creado para hacer.

Ir a un sitio requiere valor pero soltar algo quizá requiera más valor. Soltar las riendas a las que te has estado agarrando. Soltar tu forma, soltar el ser la respuesta.

Tú y yo no somos la respuesta, mi amigo. La respuesta es Dios.

Si vivimos así, habrá una obra fructuosa. En cualquier caso, si no hay fruto, ¿cual sería el propósito de vivir? Pero la semilla debe de ser enterrada profundamente en la tierra antes de que el fruto tenga la oportunidad de arraigarse, antes de que la cosecha esté lista los campos se ven escasos. Toda la vida está escondida, lista para ser revelada, lista para ser desatada – en Su tiempo.

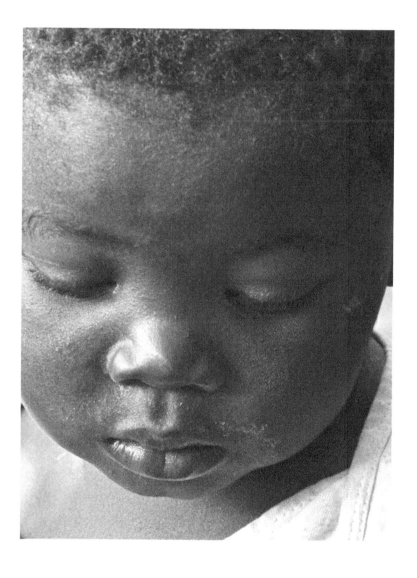

9
Humillándonos Aún Más

"Dios de la victoria".

Rolland: Como es probable que sepas, uno de los valores principales de Iris es humillarnos aún más. Sentimos que esto se aplica tanto en lo natural como en lo espiritual y a lo largo de los últimos meses, ¡verdaderamente hemos estado humillándonos aún más en el departamento de la perforación de pozos! Hemos tenido muchas pruebas, pero cada una de ellas ha obrado para bien y para la gloria de Dios.

La mejor noticia es que el Gobierno Nacional nos ha concedido un permiso para perforar pozos en cualquier lugar de Mozambique. Aunque esto pueda parecer una formalidad, en realidad ¡es un milagro absoluto!. Muchas organizaciones trabajan durante años para obtener un permiso como este. Pero por el favor de Dios – con el trabajo incansable del responsable de Relaciones Gubernamentales de Iris, Serjio Mondlhane – recibimos nuestros permiso tras sólo unas semanas despúes de empezar el proceso de solicitud.

Colocar a las personas en los roles correctos es una clave para el éxito en cualquier proyecto, así que nos bendijo que el misionero de Iris Joe Vaine aceptara dirigir el proyecto de perforar pozos. Junto con su servicio como el piloto de avión de Iris, Joe tiene experiencia en gerencia de agua en otras partes del mundo. Joe ha entrevistado a gente en todas partes; han venido desde el sur de Mozambique, Malawi, India y los Estados Unidos. Nuestro equipo ahora está formado por un perforador de Malawi con mucho talento y un señor de la empresa que proporcionó nuestras plataformas de perforación en India y América, Jeff Johnson, que tiene experiencia en el desarrollo de misiones por toda África, incluyendo experiencia en pozos en Mozambique. De igual importancia, vamos a entrenar a un pequeño equipo de mozambiqueños que con el tiempo llevarán este programa a otro nivel. Joe ha estado perforando pozos en nuestra base de Iris para que sirvan para hacer prácticas y que los futuros puedan estar listos para los posibles fallos mecánicos que puedan ocurrir.

¡Las ceremonias de inaguración están a la orden del día! Pronto comenzaremos a perforar el siguiente pozo

en la aldea local de Impiri, una aldea de 8,600 personas. Impiri, no tiene ni un solo pozo y la gente local tiene que caminar durante kilómetros para conseguir agua cada día. Después de que hayamos perforado dos pozos allí, nos moveremos a Nacaramo, una aldea de más de 4,000 personas sin pozo.

Estos pozos son una culminación emocionante de un sueño que Heidi ha tenido durante años. Los pozos que perforamos se convertirán en lugares naturales de congregación para nuestras comunidades locales, puntos centrales para compartir el Evangelio y el amor de Dios. ¡Nos regocijamos junto con estas aldeas y con todo el Cielo por esta gran noticia!

Mientras tanto, continúan pasando cosas increíbles en nuestra base de Iris en Sudáfrica. ¡Dios está obrando en tantos frentes para cumplir Sus propósitos! Nuestros amigos Jean y Teisa Nicole informan:

"¡Estamos emocionados de anunciar la inaguración de la aldea infantil Michael in Mbonisweni, Sudáfrica!

Este sueño comenzó hace más de 4 años en el corazón de nuestro Director Internacional de Iris Ministries, Surprise Sithole. Mbonisweni es un municipio negro y pobre fuera de Nelspruit y después de plantar una iglesia allí, Surprise y su esposa Tryphina pronto descubrieron la necesidad de tener un centro infantil para ayudar al creciente número de niños abandonados y abusados en esa comunidad.

Entonces, guerreros de oración tanto de la iglesia local como a nivel mundial empezaron a pedirle a Dios que estableciese un centro próspero para los niños. En el 2008, Iris aseguró los fondos a través de amigos de Iris en Estados Unidos, Reino Unido y Corea y ¡así se compró el terreno para la aldea infantil!

El 25 de Julio del 2009 la visión de Surprise finalmente se hizo realidad. Tuvimos un precioso servicio de celebración al que asistieron más de 200 personas y líderes de nuestra comunidad local. Fuimos tan bendecidos al dedicar las dos primeras casas a Dios en oración. Los nuevos padres de esa casa dirigieron la ceremonia de inauguración. Este es sólo el comienzo. Muchos, muchos más hogares se abrirán en el futuro y nuestra nueva casa de bebés se abrirá en los próximos dos meses.

"Por tanto, mis amados hermanos, estad firmes, constantes, abundando siempre en la obra del Señor, sabiendo que vuestro trabajo en el Señor no es en vano". (1 Corinthians 15:58)

Los servicios sociales de Sudáfrica están en proceso de darnos el primer grupo de niños que estará a nuestro cargo. Estamos tan agradecidos a Dios quien nos da la victoria a través de nuestro Señor Cristo Jesús".

Así que vemos señales de Agua Viva que brotan por todas partes. Conforme nos comprometemos a dar un paso más a humillarnos aún más para que cada vez Cristo sea más evidente en nuestras vidas y no nosotros mismos – Él toca a gente y trae refrigerio al desierto árido de nuestras vidas.

Tiempo de Reflexión:

El que habita al abrigo del Altísimo morará a la sombra del Omnipotente. Diré yo al Señor: Refugio mío y fortaleza mía, mi Dios, en quien confío".
(Salmo 91:1-2)

Algunas personas piensan que nos inventamos la siguiente parte. El por qué te inventarías algo así, no lo se. De hecho, lo que sucedió fue más allá de lo imaginable. Aprendí más sobre la copa de gozo y sufrimiento durante este tiempo que nunca jamás.

Después de que el ciclón golpease Mozambique, seguí

fielmente el calendario que Dios había planeado para mí. Me había quedado en el barco como Dios me dijo. Luego me fui del barco cuando Dios me dijo de ir para predicar en la Universidad de Oxford. Ahora estaba planeado que compartiese en una reunión histórica en una catedral en Francia. Excepto que, de vuelta en Mozambique, a un kilómetro o así de nuestras bases centrales de Zimpeto cerca de Maputo, veintidos toneladas de munición empezaron a explotar.

El calor de 36 grados hizo detonar un misil que actuó como catalizador de más explosivos. Nuestro hijo Norbeto nos llamó mientras los misiles estaban explotando y casi lo alcanza la metralla. Dos misiles ya habían dado en el centro, en el altar de la iglesia y en el departamento administrativo.

"Mamá, ¿qué debemos hacer?", Norbeto sollozó. Si hubiese podido trepar por la línea telefónica lo hubiese hecho, pero estaba a miles de kilómetros. "Ora para que el Padre te refugie a ti y a los niños," dije. Yo estaba aterrorizada. Oré como una mamá oso y llamamos a mi agencia de viajes: "por favor, cambia mi vuelo", rogué. "Tengo que ir a casa". Y seguimos orando y la gente continuó diciéndome la misma cosa que Dios me estaba diciendo:

"Heidi, creo que Dios te está diciendo que termines tu tarea".

Venga Dios, ¿No puedes realmente estar diciéndome de ir a la Catedral mientras hay bombas estallando y nuestros niños están aterrados? La Catedral me llamó y me dijo que definitivamente debería venir, que estaría lleno de monjes y monjas y que la iglesia no había estado tan llena en cientos de años. ¡Termina tu tarea! Así que llamamos al agente de viajes otra vez: "lo siento mucho, por favor, ¿podrías volver a cambiar mi billete de vuelta?"

En nuestra base en Zimpeto, por todos lados la gente se estaba muriendo; los hospitales estaban recibiendo a docenas de personas gravemente heridas. Había incendios en nuestro centro infantil, pero el pastor José y Norbeto habían reunido a los niños atemorizados y estaban en lo que quedaba de la iglesia orando, alabando.

"Con sus plumas te cubre, y bajo Sus alas hallas refugio; escudo y baluarte es su fidelidad. No temerás el terror de la noche, ni la flecha que vuela de día" (Salmo 91:4-5)

Ninguno fue herido. Ni una sola persona en el centro infantil fue herido. El Señor los refugió bajo Su ala. Ninguno de nuestros misioneros huyó para protegerse, todos se quedaron para proteger a los niños. Mientras tanto, yo prediqué en la Catedral y el Espíritu Santo se encontró con esos hambrientos monjes y monjas con Su compasión, ánimo, misericordia, sanidad y gozo. La gente hambrienta no siempre parecen hambrientos – a lo mejor están estudiando en la Universidad de Oxford o quizás están viviendo en un monasterio – pero Dios ve y Dios sabe. Y si le dejamos, Él nos enseñará no sólo lo que Él ve, sino como Él lo ve.

Cuando Rolland y yo llegamos de vuelta a Zimpeto abrazamos a nuestros niños. Habríamos esperado que la gente se dispersara, pero nadie se fue. Ninguno se fue cuando vinieron las inundaciones, el acoso, el apedreamiento, las palizas o el encarcelamiento - así que no se iban a ir ahora.

Así que tuvimos el servicio de alabanza más bonito en el que he estado jamás. Dios salvó las vidas de nuestros niños y le estábamos agradeciendo por nuestras propias vidas. Luego salimos y ministramos a las familias de alrededor de la base que habían perdido sus casas y sus vidas. Acogimos a tres huérfanos que habían perdido a su padre por una tuberculosis y ahora a su madre por los misiles. Miramos a los ojos de la madre que había perdido a su niño y bebimos de la copa de gozo y sufrimiento.

Dios te dice hoy, "Termina tu tarea". No importa cuando pienses que debes de estar en otro sitio, y lo mal que se ponen las cosas, aún si tienes que vivir al borde cuando todo en ti te está diciendo que corras a lo seguro, termina. ¡Aquel que empezó la buena obra en ti y a través de ti, será fiel!

10
En Su Poder

"Le necesitamos".

Rolland: Heidi y yo estaríamos los dos muertos en este momento si creyésemos a los médicos. Hace unos años Heidi estaba en el hospital durante un mes con una infección de la bacteria estafilococo. Los médicos se dieron por vencidos y la dijeron que podía escribir el epitafio para su lápida. Luego, de repente, mientras predicaba con mucho dolor, Dios la sanó, ¡y a la mañana siguiente estaba saliendo a correr!

Hace cuatro meses me diagnosticaron con una demencia terminal. Apenas estaba vivo. Necesitaba ayuda para ducharme, cambiarme de ropa y cortarme las uñas. No sabía en qué país estaba y no podía recordar nada de un día para otro. Los médicos me dijeron que no me quedaba mucho tiempo para vivir y llamaron a mi familia para que estuviera a mi lado.

A pesar de todas estas malas noticias, algunos amigos fieles me enviaron a un centro cristiano en Alemania donde recibí un tratamiento médico increíble en un ambiente lleno de fe. Hoy estoy de vuelta en Pemba ministrando el Evangelio, listo para volar mi avión otra vez y reconectando con nuestros amigos y personal.

Espero con expectativa seguir empujando las barreras que tienen las misiones en Sudán, el Congo y en cualquier otro sitio a donde Dios quiere que vaya.

No podemos movernos en este mundo sin el poder del Dios viviente. Algunos de nosotros no hemos sido llevados a nuestro límite y no somos totalmente conscientes de nuestra completa dependencia de Él. Pero nuestro tiempo vendrá. Le necesitamos para mantenernos vivos. Le necesitamos para nuestra salud. Le necesitamos para nuestra sanidad. Le necesitamos para justicia, paz y gozo en el Espíritu Santo.

Le necesitamos más que el habla. Le necesitamos más que la iglesia, más que un programa de misiones o apoyo económico. Necesitamos más de Él, más que cualquier otra cosa que cualquier ser humano pueda hacer por nosotros. Necesitamos puro poder bruto derramado en nuestras vidas a través de la bondad y del amor de Dios. Necesitamos poder para apreciar a Dios, para hacerle el mayor placer de nuestras vidas. Necesitamos poder para regocijarnos con gozo Inexpresable y lleno de gloria. Necesitamos poder para experimentar Su Reino y para llevar a cabo Sus propósitos.

¿Cómo nos llega este poder? Es la gracia y el regalo de Dios. Él planta en nosotros un hambre que no puede ser negado. Él abre nuestros ojos a nuestra insuficiencia, a la pobreza de vivir sin Su Presencia poderosa. Él nos da la fe cuando no hay.

En Su poder podemos descansar aún cuando estamos bajo un ataque demoniaco. Su poder fija nuestros ojos en Él. En su poder somos capaces de disciplinarnos en todo. Podemos poner nuestras cargas en Él porque Él está dispuesto a usar Su poder para nuestra causa.

¿Cómo podemos estar seguros de que él nos cuida? Sólo tenemos que mirar a la cruz. Vamos a la cruz y allí encontramos la confianza para acercanos a Él. La cruz nunca está vacía de su poder. Allí y sólo allí encontramos salvación de cualquier tipo.

En la cruz venimos a conocer a nuestro Dios y Su corazón por nosotros.

En la cruz aprendemos a volvernos absolutamente dependientes de Su poder.

Su Poder en el Bush

Hoy estábamos conduciendo hacia una campaña en la aldea, el gozo de nuestras vidas en Mozambique. El camino está oscuro. Ocasionalmente hay tráfico. Nuestro Land Rover está lleno hasta arriba de tiendas de campaña, sacos de dormir; todo lo que necesitamos para quedarnos a dormir. Llevamos a cuántas más personas podemos. De camino le explicamos a nuestras visitas cómo operamos, plantando iglesias cada cinco kilómetros. En siete años hemos plantado más de mil iglesias entre los Makua, una gente "inalcanzablemente inalcanzados" de la provincia de Cabo Delgado.

Nuestro destino aparece a través de la intensa oscuridad, marcado por luces brillantes, una pantalla y una aldea entera de gente reunida. Mientras nos acercamos vemos que mucha gente ha venido de aldeas vecinas. Nuestro equipo avanzado ha ido por delante nuestra y ha montando un generador, un equipo de sonido y proyector de vídeo. Hemos estado aquí antes y muchos conocen nuestras canciones de alabanza.

Se necesitan dos idiomas por la diversidad del público, Portugués y Makua. Heidi predicó y muchos han sido añadidos a la fe. Oramos por los enfermos y dos personas sordas fueron sanadas. La gente canta y baila con todo su corazón. Nubes de polvo se levantan en la luz del proyector mientras expresan el gozo de su salvación. El cielo está tocando este punto remoto del planeta mientras Dios visita la gente que Él ha elegido. El poder de Dios está transformando corazones y dando esperanza. Una vez más el Reino de Dios está avanzando.

Es tarde y nuestro equipo de Makua ha preparado un festín para nosotros: ¡Espagueti! Tenemos una pila de platos de plástico y metemos el cucharón en una cazuela de simples espagetis que cada uno comemos con los dedos. Niños de la aldea vienen corriendo para comer con nosotros. No hay letrinas en la aldea, así que nos las arreglamos en los arbustos. Conseguimos montar nuestras tiendas de campaña con unas cuantas linternas. Como hacemos esto con mucha frecuencia, Heidi y yo nos traemos catres. Sin las luces de la ciudad que las molesten, las estrellas están magníficas y densamente repartidas por el cielo, las constelaciones sureñas tan exóticas para aquellos de nosotros que somos del

La estructura del nuevo edificio de la iglesia tomando forma

hemisferio norte.

Nos cambiamos y nos ponemos pantalones cortos para aguantar el calor de la noche y apretujarnos en nuestras tiendas, quedándonos dormidos mientras oramos. Al amanecer, la aldea está despierta y lista para empezar. Heidi hace café de Starbucks para el equipo mientras nuestros amigos mozambiqueños disfrutan de la experiencia de beber esta nueva delicia. Tenemos una reunión en nuestra nueva iglesia hecha de cañas y barro y luego, ¡tenemos que oficiar bodas! La amiga que nos visita, Terry, habla a las parejas. De nuevo la aldea entra en erupción con canto y baile. El gozo es contagioso entre todos nosotros.

La aldea está construyendo una nueva estructura para la iglesia, pero la gente está casi en quiebra. Les damos suficiente dinero para comprar materiales para el tejado ya que ellos ya han construído las paredes. Están encantados. Nuestro equipo mozambiqueño

Heidi ocupada repartiendo regalos

les conciencia sobre los riesgos del SIDA así como les instruye en la enseñanza bíblica. Bendecimos a la gente con palabras finales de enseñanza y ánimo y partimos de la aldea con niños riéndose y corriendo. ¡Volveremos!

De camino a casa reflexionamos con nuestras visitas acerca de lo que estamos siendo testigos. No parece haber límite al número de iglesias que podemos plantar si tenemos suficiente provisión y gente para ayudar. La provincia entera se está avivando. En todos lados los pobres están dando la bienvenida a las Buenas Nuevas y están corriendo hacia Jesús. Estamos sólo empezando a ver lo que es posible en el Señor. Lo mejor está siempre por delante.

El Poder del Gozo del Cumpleaños

El resplandeciente océano color turquesa no podría estar más hermoso. Relucientes, los niños mojados están corriendo, saltando y dando volteretas de arriba hacia abajo de la playa. Muchos otros se están salpicando y tirándose en el agua. Las palmeras y las nubes se están moviendo lentamente en la suave brisa para completar esta estampa de libertad, paz y gozo. Hoy estamos celebrando todos los cumpleaños del mes y el éxito de nuestros alumnos en la escuela.

Después de horas de diversión, nos juntamos todos para distribuir los regalos. Cada cumpleañero y estudiante destacado recibe una bolsa colorida llena de simples regalos. Luego los ponemos a todos en fila para recibir el pastel y bebidas. Desde los niños de dos años hasta los adolescentes, todos están disfrutando juntos de este rico día.

Es tanto nuestro llamado y nuestra herencia traer Su vida a los sin techo, los desesperadamente pobres y olvidados. Sus hermosas, radiantes sonrisas son la recompensa que Cristo nos da. Nos encanta traer salvación aún a los más pequeños. Sin el poder de Dios no podríamos existir aquí. Cada bebida de celebración y cada bolsa de regalos son sólo posibles por la milagrosa generosidad de la gente de Dios.

Nuestros equipos misioneros y mozambiqueños son héroes para nosotros. Nuestra pasión y compasión son prendidos por el Espíritu Santo. Nuestra salud y sustento vienen de Él. Nuestra esperanza para la vida de cada niño viene únicamente del Evangelio. ¡Gracias por celebrar con nosotros y por derramar tu vida y tus recursos en la obra del Rey!

Tiempo de Reflexión:

"Haya, pues, en vosotros esta actitud que hubo también en Cristo Jesús, el cual, aunque existía en forma de Dios, no consideró el ser igual a Dios como

algo a qué aferrarse, sino que se despojó a sí mismo tomando forma de siervo, haciéndose semejante a los hombres. Y hallándose en forma de hombre, se humilló a sí mismo, haciéndose obediente hasta la muerte, y muerte de cruz". (Filipenses 2:5-8)

Estaba en una iglesia en Brasil y estaba en el suelo mientras Dios me mostraba imagen tras imagen de gente hambrienta; clamando por suficiente comida para que pudiesen vivir y no morir en su miserable hambre. Mientras tanto, la gente estaba recibiendo del Espíritu Santo y se estaban riendo. "¿Eres esquizofrénico, Dios?" Me pregunté. Pero luego me liberó de la copa de sufrimiento y yo también empecé a reirme. ¿¡Ahora quién parece esquizofrénico?!

Pero así es Él. Él ve el Cielo a través del Infierno. Él ve la libertad más allá de la cruz, Él ve vida eterna más allá de la tumba, y Él ve risa a través de lágrimas. La gente a menudo me pregunta, ¿cómo cocinas para tantos niños? ¿Yo, cocinar? Le puedes preguntar a Rolland: ¡Hasta soy capaz de quemar el agua!. Si yo cocino en nuestra casa siempre hay humo. Pero Dios envía ayuda. Yo no hago todo. Yo no puedo hacer todo.

"Haya, pues, en vosotros esta actitud que hubo también en Cristo Jesús, el cual, aunque existía en forma de Dios, no consideró el ser igual a Dios como algo a que aferrarse"

Jesús, el cual, aunque existía en forma de Dios, no consideró el ser igual a Dios como algo a qué aferrarse. Aquí está, el Rey de Gloria, se puede quedar en cualquier sitio, puede ir a cualquier sitio, hacer cualquier cosa. Él sabe quién es y aún así, ¿qué es lo que hace – para nosotros y por nuestra causa? Se vacía a sí mismo hasta que se vuelve nada. El Rey de Gloria, Jesús, permitió que

Él mismo naciera en un establo prestado con cabras y gallinas. Tuvo que aprender un idioma. Tuvo que ser vestido y alimentado por otra persona. Se dio a Sí mismo, siempre prefiriendo a otros. Dejó Su Reino, dejó su gloria atrás para enseñarnos como vivir.

Mientras estamos intentando agarrarnos con fuerza, Él está diciendo, entrégalo todo. Él es igual a Dios en todas las maneras, pero se despojó a sí mismo. Se humilló y fue obediente hasta la muerte. ¡Qué maestro! Lo único que tenemos que hacer es seguir al líder, estar en unidad con Él, ver lo que Él ve, ir donde Él va, hacer lo que Él hace, orar lo que Él ora, amar como Él ama.

Cuando vivimos así, veremos cada desastre con otros ojos, "teniendo la mente de Cristo". Veremos el cielo a través del infierno, libertad a través de la cruz, vida eterna más allá de la tumba y risa a través de lágrimas. Dios es suficientemente grande y no tenemos que agarrarnos con tanta fuerza; nos podemos entregar a los demás porque Cristo vive en nosotros. Cristo en ti, la esperanza de gloria. Él es más que suficiente.

Cargamos Su gloria y Su poder y nos humillamos a nosotros mismos, siempre prefiriendo a otros. Vemos con los ojos de Cristo, los ojos de la fe. Vemos más allá de lo que es, vemos lo que será. Y oramos lo que Él ora, vamos donde Él va, amamos como Él ama. De esta manera conoceremos la vida y la vida en toda su plenitud.

"porque Dios es quien obra en vosotros tanto el querer como el hacer, para su beneplácito"
(Filipenses 2:13)

11
El Reino Se Extiende

"¡Id, id, id!"

Rolland: Desde la cubierta de nuestro barco, miro más allá de la estrecha playa a una colección de chozas de palos y barro apartadas del reluciente océano en la cima de una pequeña colina. Esta es la aldea de Londo, aislada por el bush salvaje y accesible sólo por mar. Hasta que aterrizamos aquí, la gente de Londo había vivido por generaciones sin escuchar el nombre de Jesús. Pero al aprender de Su amor y poder, abrieron sus corazones sin reserva y ahora Él está transformando esta aldea, poco a poco.

Llegamos después de atravesar grandes oleadas tras una hora de viaje por la bahía desde nuestra base de Pemba.

Los aldeanos, jóvenes y viejos, corrieron al barco. Una vez más estaban emocionados de ver a Mamá Heidi y a nuestro equipo, quienes siempre traen regalos de amor de un Padre celestial. Con cuidado descargamos nuestro cargamento: un sistema de sonido generado por batería, regalos para los niños y muchas piruletas y bebidas.

Juntos, subimos a la cima de la colina a la sencilla

escuela e iglesia que ayudamos a consturir y tuvimos un tiempo gozoso, cantando y alabando al Señor de toda la creación. Nuestro amigo cercano, Mel Tari de Indonesia, predicó sobre la gloria de ser encontrado en Cristo en una isla muy remota en el Pacífico.

Heidi nos ayudó a realizar un sketch navideño que fue graciosísimo y conmovedor para los niños. Repartimos caramelos y bebidas y le dimos a cada niño una mochila y chanclas.

Un momento increíble fue dar premios a los mejores estudiantes de diferentes edades en la pequeña escuela de Londo. Hasta que la escuela fue construída, nadie aquí tenía una educación. Todo tuvo que ser provisto desde cero: libros, papel, lápices – ¡y un profesor! Desde entonces hemos añadido un curso literario para adultos y ahora los hombres y mujeres mayores están leyendo por primera vez.

¡Jesús no se ha olvidado de Londo! Nos está sustentando a través de muchos retos para que podamos continuar amando esta aldea y alcanzando a más mozambiqueños en esta provincia salvaje y remota de Cabo Delgado. han sido plantadas más de mil iglesias en el bush desde que llegamos hace siete años, pero aún así sentimos que apenas estamos empezando a ver lo que Dios puede hacer.

Es tiempo de irnos. Nos subimos de nuevo en el barco y nos despedimos de nuestra aldea increíble – nuestra familia en Jesús. Volveremos. Hasta nos han construído a Heidi y a mí nuestra propia choza de barro, sólo para que nos podamos quedar más tiempo. Regresamos hacia el océano abierto y una vez más las grandes oleadas chocaban contra nuestro barco y nos empapaban. Vemos el poder del Espíritu Santo en el viento y el agua de estas olas y oramos por más.

Día de Acción de Gracias Americano en el Bush

Nuestro equipo está de pie en la plaza de una aldea en medio del bush. Está oscuro, pero las estrellas cubren el cielo y la luna está brillando fuertemente. Es una noche hermosa. Nuestro gran camión de Pemba es nuestra plataforma para predicar. Nuestro fiel generador está en marcha, dando corriente al equipo de sonido y a un fuerte foco de luz. La silueta de Heidi es visible frente a la luz, muy emocionada, contando historias animadas para ilustrar el Evangelio. La aldea entera está escuchando con todos los niños sentados al frente y prestando mucha atención. Han estado cantando y bailando como sólo los africanos pueden hacerlos y las nubes de polvo gozosas siguen flotando en el aire.

Hemos estado aquí antes. La mayoría de los aldeanos ya son creyentes entusiasmados y una iglesia ha sido establecida aquí. Pero nos encanta visitar de nuevo nuestras iglesias y mantener la llama del fuego del Espíritu Santo. Como siempre, oramos por los enfermos y dos son sanados, uno es el yerno del pastor de la aldea. Ambos han sido sordos durante años y ahora están aprendiendo a hablar de nuevo. El poder de Dios es dado a conocer y la fe crece de la aldea al Cielo.

Heidi y yo somos invitados a la choza del pastor para comer y somos profundamente movidos por una cena de acción de gracias inesperada. No hay nada en la choza excepto una simple mesa, pequeñas sillas de madera, una cama de cuerda al estilo local y unos pocos cambios de ropa colgando en el tendedero. Aprendemos que nuestros anfitriones han hecho la cosa más especial que podrían haber hecho para nosotros. Una vez al año comen pollo y esta noche han matado su único y escuálido pollo para honrarnos. Cada uno recibimos una o dos piezas pequeñas y disfrutamos de una deliciosa salsa de pollo, al mojar tartas de maiz molido en ella. Somos empapados en el rico amor de Dios mientras participamos de lo mejor que el pastor y su familia tienen que ofrecer. Finalmente, nos marchamos y con gran agradecimiento vamos a nuestras tiendas de campaña y nos quedamos dormidos para la noche. Todo está callado y Jesús está con nosotros.

Nos despertamos pronto, sudando mientras el sol creciente calienta nuestras tiendas de campaña. Después de tomar café, pan y mucha comunión, nos juntamos con los aldeanos para dedicar su nuevo hogar infantil. Donde es posible, estamos desarrollando un sistema de cuidado de huérfanos por las iglesias plantadas, pidiendo a cada pastor de cuidar a una docena de huérfanos. Nos juntamos en la casa para orar con los huérfanos, que ya no son huérfanos, sino plenamente adoptados en la familia de Dios y por el Cuerpo de Cristo en esta aldea. El pastor, su esposa y los nuevos niños bajo su cuidado están radiantes. Oramos que nuestro programa emergente de apadrinamiento infantil ayude a apoyar a estos niños y a miles más como ellos por todo Mozambique.

Fuera del hogar infantil hay otra sorpresa. Líderes musulmanes con sus sombreros y túnicas han venido a la aldea de la mezquita cercana. ¡Oyeron sobre los sordos que habían sido sanados la noche anterior y ellos también quieren oración! Nos traen regalos extravagantes: un par de tórtolas y un gallo. Son tocados y sanados mientras oramos en el nombre de Jesús. Sonríen con placer y les dejamos con un reproductor de audio Bíblico, generado por energía solar. Que un conocimiento mayor sobre la cruz y sobre el amor de Dios continúe esparciéndose a lo largo de esta provincia.

Heidi: Está diluviando a nuestro alrededor a través de los densos árboles. Una multitud de mozambiqueños se han amontonado, fuertemente apretados mientras intentan esconderse de la lluvia. Láminas de lona y plástico han sido extendidas desde el tejado de la iglesia, sujetadas por palos y postes para proteger de la lluvia a cuantas más personas sea posible. Pero el diluvio es pesado, las condiciones son húmedas y miserables, y toda la situación es un escenario poco probable para un avivamiento. Estamos teniendo una conferencia en el bush en la provincia de Inhambane, que hemos visitado muy poco, y la gente ha venido de cientos de kilómetros de distancia. Tienen hambre tanto espiritualmente como físicamente y yo estoy orando que el Espíritu Santo haga lo máximo de nuestro tiempo juntos. Sin embargo, el enemigo intenta humedecer la ocasión.

La lluvia es ruidosa y la gente que está de pie al fondo en el barro apenas pueden oir nuestro sistema de sonido sencillo. ¿Qué puede hacer aquí el Espíritu Santo? ¡Mucho! Ahora mismo Él está limpiando a toda la asamblea de opresión demoniaca. Las lágrimas recorren los rostros de la gente, sus cuerpos tiemblan... Las manos están levantadas en alto. Un gran clamor se está levantando al Cielo. Acabo de preguntar cuántos están siendo acosados y afligidos por demonios y casi todos se ponen de pie. Mozambique está plagado de brujería y poder demoniaco, hay muchos que acuden a curanderos y luego a Dios en un intento confuso de hacer frente a sus desesperadas necesidades.

Ahora le he pedido a la gente que confiese lo que sea que está mal en sus corazones para que puedan ser limpios y protegidos del poder del maligno. El Espíritu Santo viene con fuerza y no puedo predicar por encima del ruído de voces arrepentidas clamando fuertemente por misericorida y ayuda. Imponemos manos sobre todos aquellos a los que podemos alcanzar. Reprendemos todo poder del maligno. Finalmente, un ambiente de gran paz y alivio descansa sobre todos mientras llevamos a cabo el resto de nuestra reunión.

En un momento dado, el poder eléctrico se para y nos deja sentados en la oscuridad con sólo el sonido de la pesada lluvia. Así que la gente canta sin un teclado que domine. Sus voces puras y poderosas se mezclan en un único ritmo y única armonía africana. La alabanza te pone los pelos de punta. Nuestra pequeña, embarrada y mojada conferencia se ha convertido en una degustación del Cielo en la Tierra.

Después de unos cuantos días, nos vamos volando hacia el norte en un pequeño Cessna hacia la provincia de Sofala. Estamos llenos de asombro por nuestra grande y amplia familia mozambiqueña, ahora con más de diez mil iglesias fuertes. El Espíritu Santo milagrosamente une a nuestras iglesias juntas, dándonos un corazón unido para una sociedad transformada de creyentes humildes, llenos del Espíritu, salvados sólo por la sangre de Cristo.

Bicicletas Para Jesús

Nuestros pastores han estado esperando durante años y ahora una iglesia en Curatiba, Brasil ha provisto decenas de bicicletas para ellos - ¡y las bicicletas acaban de llegar!

Algunos de nuestros pastores han estado caminando, quince, treinta o cincuenta kilómetros al día para plantar iglesias, a través de la lluvia y el barro, el polvo y el calor, día y noche. Ahora pueden predicar y plantar iglesias por toda la provincia de Nampula. Es oscuro, caluroso y húmedo. Nuestra iglesia de ciudad sencilla, pobre pero grande está apretada, alumbrada por sólo algunas bombillas. Uno por uno los pastores son llamados y vienen al frente. Imponemos manos y les damos una bicicleta a cada uno. Ungimos cada bicicleta, orando que los ángeles y que el poder del Espíritu Santo acompañe a nuestros pastores a donde quiera que vayan.

Muchos en esta provincia han sido levantados de los muertos y el nombre del Señor se ha vuelto conocido entre los desesperadamente pobres que frecuentemente se enfrentan a la enfermedad sin cuidado médico. Los demonios pelean todo lo que pueden, pero están siendo empujados para atrás. Esta noche predico y llamo a los hambrientos a que vengan a recibir oración. Nosotros los misioneros y pastores ponemos nuestras manos sobre todos aquellos que nos sea posibles. El Espíritu Santo toca a cada uno conforme Él desea, de acuerdo con la fe y deseo. Una chica joven se está agitando en el suelo, poseída por un espíritu maligno. Es liberada mientras una de nuestras misioneras de Iris, Antoinette, ora sobre ella y la consuela hasta que está calmada y en paz. Mientras sonríe con gozo silencioso, ¡la chica es dada una hermosa visión del Cielo!

Tarde en la noche nuestro equipo encuentra un pequeño restaurante que todavía está abierto y una vez más reflexionamos sobre lo que Dios está haciendo a nuestro alrededor. Contra todos los pronósticos y a pesar de cada dificultad, Dios está derramando amor, paciencia, perseverancia, determinación, fe y visión en los pastores de la provincia, suficiente para llevar a cabo milagros de crecimiento que hace años nunca hubiésemos esperado. Nuestros apetitos están creciendo. Cuanto más tenemos, ¡más deseamos! Que Su presencia en esta provincia nunca pare de crecer.

¡Graduación!

Llegamos al día de la graduación de nuestras

escuelas Bíblicas y de misiones Harvest. Es marcado por un día tremendo de alabanza en la base de Pemba, mezclando blancos y negros, ricos y pobres, extranjeros y nacionales para marcar el final de casi tres meses de clases y campañas.

Experimentamos una celebración loca, ¡corazones que explotan con alabanza! Muchos están experimentando el intenso poder del Espíritu Santo y un caleidoscopio de Sus emociones. Los rostros están chorreando con sudor, pero están llenos de gozo. Misioneros están orando por pastores; pastores orando por estudiantes; estudiantes orando por profesores; ¡todos están orando por todos!

Nuestro orador Mel Tari celebra el significado de este día en los planes de Dios para cada pastor y alumno. Es emocionante ver a nuestros pastores aldeanos cantar, "¡Id, id, id!" Irán – a las partes más lejanas de esta nación, llevando el Evangelio con todo el amor y poder que han sido dados. Oramos por su seguridad, salud, fuerza y unción mientras se enfrentan a cada tipo de reto. Oramos por nuestros estudiantes de misiones mientras siguen sus llamados por todo el mundo. Muchos están siendo entrevistados para servir de forma permanente con Iris. ¡Somos bendecidos tan profundamente!

Tiempo de Reflexión:

"Sé vivir en pobreza, y sé vivir en prosperidad; en todo y por todo he aprendido el secreto tanto de estar saciado como de tener hambre, de tener abundancia como de sufrir necesidad. Todo lo puedo en Cristo que me fortalece". (Filipenses 4:12-13)

¡He aprendido un secreto! He tardado 30 años en hacerlo, pero creo que ahora lo tengo – y de todos los sitios posibles, ¡lo aprendí en un jacuzzi! He aprendido a estar saciada. Estoy alcanzando aquello para lo cual Cristo me alcanzó a mí. Estoy aprendiendo a conocer a Cristo y el poder de Su resurrección, a tener comunión con Él en Su sufrimiento.

Estoy aprendiendo a ver lo que Él ve, a ir donde Él va, a sentir lo que Él siente – sólo a seguir al líder. Me estoy volviendo como Él en Su muerte y de alguna forma alcanzando Su resurrección. Estoy prosiguiendo y no pararé. Me mantendré en este cuerpo y daré fruto. Continuaré alcanzando aquello para lo cual Cristo me alcanzó a mí. Él te mira a ti y a mí y nos dice: "¡Te quiero a ti!" Él murió para alcanzarte a ti. Él murió en la cruz para que tú pudieses vivir como Él vive. ¡Qué Salvador!

Me olvidaré de lo que está atrás, todo pecado, todas mis equivocaciones, cada vez que hice algo estúpido, y proseguiré, mirando hacia el premio, yendo hacia la victoria. Y mientras estoy haciendo todo esto, descansaré porque he aprendido este secreto.

Estaba trabajando con alguna gente que tiene muy poco, estábamos afuera en la tierra ministrando a hombres, mujeres y niños que estaban en gran necesidad. Pero mis anfitriones querían bendecirme así que me alojaron en un hotel, en una suite con un jacuzzi. No quería el jacuzzi porque yo pensé que el dinero debería de ir para ayudar a todos los demás, así que le pedí a mis anfitriones que me trasladaran a un hostal barato, un Motel 6.

Pero en realidad estaba ofendiendo su hospitalidad al pensar que debería de estar en otro sitio. Puede ser bastante difícil cuando estás yendo y viniendo de un campo misionero – arroz y frijoles y luego un buffet, comida y luego sin comida, agua limpia y luego sin agua. Pero el Señor me dijo, "Alto Heidi. Necesitas quedarte aquí y meterte en el jacuzzi y remojarte!"

"¿Remojarme, Señor?"

"Sí, recibe." Vale. Así que me senté en el jacuzzi y observé las hermosas y cálidas burbujas limpias. El agua no sale de un grifo donde nosotros vivimos y no viene sólo de un grifo donde estamos y si lo hace sale de color verde y no querrías remojarte en ella. Muchas veces vivimos fuera en una tienda de campaña en el "bush bush". No hay inodoros, ni siquiera un agujero en el suelo, y todos están viendo como haces todo.

"tanto estar saciado como tener hambre, tener abundancia como sufrir necesidad. Todo lo puedo en Cristo que me fortalece".

En todas las cosas, podemos regocijarnos. En cada situación, Él proveerá. Él no nos dejará agotados o desanimados, cansados o vencidos. Su gracia es suficiente y podemos hacer todas las cosas, trabajando y descansando, a través de Él, a través de Su fuerza.

Diversión navideña y juegos en la playa

12
Navidades en Pemba

"¡La mejor hasta ahora!"

Rolland: Es un día oscuro y lluvioso, poco habitual en Pemba. A pesar de las nubes, el verano está sobre nosotros en el hemisferio sur y nuestros ventiladores sientan de lujo en el calor y la humedad. No es una navidad blanca, pero hemos estado celebrando la temporada a nuestra manera y hay muy buen humor. En unos cuantos días Heidi y yo nos vamos a California para pasar las Navidades con nuestros hijos, pero ahora es un gozo reflexionar sobre cómo el Señor ha bendecido nuestra familia de Iris en Pemba mientras celebramos unas navidades adelantadas. El océano en frente de nuestra casa está de un tempestuoso gris, pero el Espíritu Santo ha estado con nosotros en todo Su esplendor y paz.

Para el día de Navidad llevamos a nuestros hijos a la playa y tuvimos una gran fiesta. Fue un día brillante con brisas cálidas y susurros de palmeras. Por supuesto que hubo mucho correr, saltar, lanzar y salpicar en nuestras increíbles aguas de Pemba. Luego todos nos juntamos para unos juegos divertidísimos. Fue fantástico ver sonrisas brillantes y escuchar todas las risas.

Heidi y yo organizamos unos accesorios y disfraces

sencillos para que algunos de los niños pudiesen hacer una obra navideña, allí en la playa. Tuvimos carreras en la arena y los niños corrieron con todas sus fuerzas hacia la meta – una línea de misioneros esperando con brazos abiertos para abrazarles. Finalmente, el suspense terminó mientras repartimos bebidas junto con cientos de bolsas de regalos envueltos. Que el Espíritu Santo continúe cuidando de cada uno de estos niños y levantándoles en el conocimiento y amor del Señor.

Más tarde nos juntamos en Maringanha, nuestra nueva propiedad en un tramo de playa salvaje y sin desarrollar a unos cuantos kilómetros de Pemba. Allí hemos construído una casa de oración, grande, redonda, abierta y ventilada, con un tejado de paja y cuando llegué ya estaba llena de obreros, guardas, cocineros, profesores, padres, administradores – todos los que trabajan para nosotros en nuestra familia de Iris.

Muchos nunca habían experimentado la Navidad o el corazón generoso y amable de Dios hasta que llegaron a Iris, así que Heidi y yo estábamos determinados a proporcionarles el mejor tiempo posible. Montamos un generador y un sistema de sonido, y empezamos a bailar – estilo africano – sin abandono. Este año pasado produjimos nuestro propio CD de alabanza Makua y ¡lo hicimos sonar con la mayor fuerza posible!

Heidi llegó y lo pasamos en grande hasta el atardecer. Luego, mientras fuimos mimados con un increíble atardecer africano sobre el agua, bendijimos y agradecimos a nuestros trabajadores por todo su labor en el Señor. Después de una cena especial con arroz y pollo, enchufamos un foco y continuamos celebrando y alabando al Señor.

Finalmente, Heidi y yo nos sentamos juntos en unas sillas y besamos y abrazamos a cada trabajador según la costumbre Africana, mientras venían y recibían un regalo. ¡Hoy de nuevo hemos probado y visto que el Señor es bueno!

Celebracion Navideña de Domingo

Empezamos la iglesia a las 8:00 horas con oración e intercesión. A las 9:10 horas el público aumenta con hombres, mujeres y niños de nuestro centro y de todo Pemba. La iglesia nunca es predecible. Diferentes grupos cantan y bailan. Alabamos con todos nuestros corazones. Extranjeros y mozambiqueños oran los unos por los otros. Todos los niños ponen sus manos sobre nuestras visitas y les bendicen.

Hoy es muy especial. Nuestros mozambiqueños están presentando una obra Navideña con ángeles, pastores, María y José, un caballo, cabras y paja, un pesebre y ¡un bebé Jesús de verdad! Muchos de nuestros visitantes mozambiqueños saben muy poco sobre la Biblia, pero este drama pondrá la esencia de la Navidad en sus corazones. Una oleada de alabanza arrasa sobre la gente, mientras nos deleitamos en el increíble y abrumador regalo que hizo Dios al mundo: Su Hijo.

Tres equipos de evangelismo de nuestra escuela de misiones acaban de llegar a Pemba después de diez días yendo de aldea a aldea en el bush. Están abrumados por la emoción. Los ciegos han visto, los sordos han oído y la comida fue multiplicada tres veces. ¡Qué privilegio es para nosotros poder ser parte de traer las Buenas Noticias a Pemba de una manera tan viva!

Estas navidades agradecemos más que nunca la hermosa familia internacional que Dios ha formado entre nosotros aquí. Deseamos ver más fe obrando a través del amor – la única cosa que importa. Juntos sigamos hacia lo que está por venir: ¡lo mejor que hayamos visto!

Tiempo de Reflexión:

"Pues su divino poder nos ha concedido todo cuanto concierne a la vida y a la piedad, mediante el verdadero conocimiento de aquel que nos llamó por su gloria y excelencia, por medio de las cuales nos ha concedido sus preciosas y maravillosas promesas, a fin de que por ellas lleguéis a ser partícipes de la naturaleza divina, habiendo escapado de la corrupción que hay en el mundo por causa de la concupiscencia". (2 Pedro 1:3-4)

¡Su poder divino es lo único que necesitamos! Podemos tener fe en el poder del Dios viviente, podemos llevar esa fe a nuestras casas, nuestros lugares de trabajo y nuestros campos de misiones. Podemos mirar a través de la devastación y del sufrimiento y ver en ello una oportunidad para que Dios obre en cada situación en la que nos encontramos.

El sufrimiento es ver lo que Jesús ve. El gozo es hacer lo que Jesús hace. Así que cuando Jesús ve hambre, Él ofrece la comida de un niño pequeño a Su Padre y se lo da a Sus discípulos y ellos alimentan a la multitud. Jesús quiere desatarte para que alcances tu destino divino. No hay ninguna persona eximida de esto, incluyéndote a ti, aún si todavía no le has dado tu vida. Conoce a Jesús y conviértete en la persona que fuiste creado para ser. El momento en el que tú le das tu vida a Él, Él te dará algo que hacer ¡y los medios con que hacerlo bien!

A veces en la iglesia hemos puesto a un lado a la gente por egoísmo. La Biblia dice esto:

"Nada hagáis por egoísmo o por vanagloria, sino que con actitud humilde cada uno de vosotros considere al otro como más importante que a sí mismo, no

buscando cada uno sus propios intereses, sino más bien los intereses de los demás". (Filipenses 2:3-4)

No hagas nada por egoísmo. No deberíamos de obligarles a nuestros hijos e hijas a esperar hasta que estemos muertos antes de soltarlos. Ya morimos y hemos sido levantados de entre los muertos. Así que corramos juntos, amados.

Su poder divino nos ha dado todo lo que necesitamos para una vida de piedad. Él nos llama suyos, por Su propia gloria y bondad. Dios nos está llamando, Sus hijos e hijas, a participar en Su naturaleza divina - ¡podemos ser como Él! Nos está pidiendo participar de Jesús, comer lo suficiente para ser fortalecidos y llenos, comer y beber de Él todos los días para que no estemos débiles o en desesperación. Y una vez que hemos comido y bebido, que demos Su cuerpo a otros, pan fresco del Cielo. Somos llamados a multiplicar lo que hemos recibido, a llevar la gloria y naturaleza divina de Cristo Jesús.

Vamos a pedirle a Cristo que nos ayude a ver; que abra nuestros ojos; pedirle a Él que nos fortalezca y nos llene. Vamos a pedirle a Él que nos prepare para Su gloria y para Su bondad, para que podamos estar con Él y en Él. Cristo en ti la esperanza de gloria. Qué increíble vivir así.

Parte Tres:
Humillándonos Aún Más

13
Prosiguiendo Hacia Lo Mejor

"Él es capaz y está dipuesto"

Rolland: Es primavera y Heidi y yo estamos de regreso en Pemba. Desde enero hemos estado viajando con un calendario intenso de ministerio por toda Asia, Europa y por toda África. Ha sido un gozo ver el poder de Dios caer sobre los creyentes hambrientos por todo el mundo. El cuerpo de Cristo está pidiendo más y más de Dios y están dispuestos a pagar cualquier precio por experimentar Su presencia y compañerismo. No hay ningún placer como el caminar y hablar con Él, apoyándonos solamente en Él para buscar cada cuidado que necesitamos y los deseos de nuestros corazones.

¿Cuánto más quieres de Él? Él es capaz y está dipuesto a derramar Su Espíritu sin medida. Que nunca perdamos nuestros apetitos de más justicia, paz y gozo en el Espíritu Santo. Todas estas cosas se encuentran sólo en nuestro magnífico Salvador, con toda la intensidad y el fuego del mismo autor de vida.

Ahora no es el tiempo para ser entorpecidos por dudas, divisiones y política en la Iglesia. No tenemos espacio para preocuparnos por títulos, posiciones, créditos y reconocimiento. No podemos estar frustrados con preocupaciones sobre apoyo y publicidad. No sabemos cómo ingeniar y programar un avivamiento. Dependemos de nuestro Dios como pequeños y humildes hijos. Lo que ya hemos oído y escuchado ha elevado nuestras expectativas a nuevos niveles. Él es capaz de mantenernos y terminar lo que comenzó en nosotros. Podemos confiarle nuestros corazones, nuestros espíritus, nuestra salud – cualquier cosa que tiene que ver con nuestro bienestar.

Su poder entre nosotros no conoce límites. Él nos bautiza con Su Espíritu y todas las cosas son posibles cuando eso sucede. Convicción y arrepentimiento profundo, sollozos de amor y gratitud, lenguas y profecía, oleadas de calor, pura paz y refrigerio, hambre profunda por la Palabra de Dios, visiones y visitaciones, revelaciones, sanidades, inundaciones de gozo celestial, deseo insaciable, intercesión desgarradora, cantos en el Espíritu, ángeles alrededor, debilidad bajo el peso tangible de Su Gloria, un sentido de asombro y temor a Su presencia.

Amamos Sus dones y todos los toques y las demostraciones de Su amor. Todos nos impulsan hacia la meta inefable que ha sido descrita por los místicos cristianos durante siglos: ¡la unión con Dios!

"Pero el que se une al Señor, es un espíritu con Él".
(1 Corintios 6:17)

Cuando los frutos de carácter están unidos a los dones de poder, nuestras vidas verdaderamente reflejan Su gloria y Su presencia. Necesitamos Su amor en nuestros corazones. También necesitamos Su unción para llevar a cabo cualquier cosa. Necesitamos tanto Su Palabra como Su Espíritu.

Todavía estamos aprendiendo a humillarnos aún más, esta es la única manera de avanzar. Y todavía estamos aprendiendo a pararnos por una sola persona en medio de un océano de necesidad. Todavía estamos aprendiendo lo que significa ser un amigo de Dios y valorar la amistad con Él y con otros sobre cualquier otra cosa. No somos máquinas misioneras, profesionales eficaces o impresionantes. Medimos la calidad de nuestras vidas por la profundidad de nuestras relaciones. Estamos aprendiendo a amar.

Recientemente, estábamos en Asia. Sería imposible contar todas las cosas que vimos e hicimos en los lugares a los que fuimos, pero sí podemos decir que sentimos una marea creciente de deseo por las cosas de Dios, la cual está abriendo una brecha hacia un avivamiento que transformará las naciones de Asia. Hay increíbles oportunidades de ministerio allí. Las multitudes están listas. Ha llegado el tiempo de cosecha. Una vez tras otra vimos multitudes de gente hambrienta y desesperada por salir al frente para ser tocados y sanados por el poder del Espíritu Santo. Las iglesias fueron increíblemente generosas con nosotros al ayudarnos con las necesidades de los pobres.

Nos animaron especialmente las iglesias en Singapur y Corea, con quienes hemos desarrollado relaciones estrechas a lo largo de los años. Son tan fervientes, sensibles y tienen muchas ganas de ayudar. También tuvimos un tiempo magnífico en Taiwán, donde pasé tantos años de niño. Esta es la hora de Taiwán. Hay un mover y un despertar que es fresco y emocionante. Participamos en una gran conferencia en la zona de Taipei que fue un acontecimiento histórico para la Iglesia. Pedimos que todo ese hambre y búsqueda del Señor sea encontrada con más y más derramamiento del Espíritu.

Desde Asia volvimos a Pemba a tiempo para nuestra fiesta mensual en la playa para todos los niños

Niños en la aldea de Londo con nuevo material escolar

Dando pastillas y caramelos a niños en la aldea de Londo

que celebraban su cumpleaños en enero. ¡Estaban emocionados de correr, jugar y darle patadas a las pelotas de fútbol! Celebramos con pastel y Coca Cola y muchos regalos. También les encanta orar y alabar y estamos grandemente agradecidos a Cristo por transformar y enriquecer sus vidas de todas las maneras.

También volvimos a Londo y nuestro ministerio en esa aldea a la que solo se puede llegar por barco. La transformación ha llegado a este lugar aislado. Ahora tenemos una escuela y una iglesia, Biblias solares, un profesor, libros de texto y bolígrafos para los niños y lo más importante: ¡conocimiento del Señor! Fue un gozo juntarnos con ellos y enseñarles y orar con ellos hasta el anochecer. En el suelo, a la tenue luz de una pequeña bombilla alimentada por nuestro generador, sentimos la rica presencia del Señor invadir todos nuestros gozosos corazones. Más tarde, nos quedamos dormidos mientras

Llegando a Sudán del Sur desde Uganda en una
pista de aterrizaje sin asfaltar

orábamos en nuestras camas hechas de cuerda, en nuestra propia choza de barro y paja. Valoramos la riqueza que Cristo ha traído a esta aldea primitiva, simple y con escasos recursos. Cada niño y creyente aquí es igual de importante que cualquier persona exitosa y con influencia en occidente.

Fue genial despertarnos en la mañana y encontrarnos con cielos preciosos, un océano hermoso y una aldea llena de gente que se ha convertido en familia. ¡Simplemente relacionarse con ellos en el Señor es cosa del Reino! Por supuesto que ellos, también necesitan el poder de Dios cada día y todas las maneras, así que continuamos orando por sus necesidades extremas. Vamos a continuar ministrándoles en palabra y acción, a este último grupo de personas en ser alcanzada en Mozambique. (Por supuesto, también a los demás en las más de 1.000 iglesias en Mozambique).

Recientemente hice mi primera y muy significativa visita a nuestra base en Yei, Sudán. La directora de Iris Sudán del Sur es la joven, enérgica, ungida y muy feliz Michele Perry. Yei no es más que una colección de caminos de tierra y chozas. Sudán del Sur apenas está operativo; la actividad se ha visto severamente disminuída después de muchos años de guerra. Pero para nosotros se trata de un límite emocionante, ya que esta situación va a servir para demostrar que sólo Dios puede hacer las cosas.

En el *bush* cerca de Yei, Michele y sus amigos misioneros y ayudantes locales han construído una aldea infantil atractiva y una escuela primaria. Se trata de nuestro ministerio principal en Sudán del Sur. Por fe en Dios, han perseverado a través de dificultades, amenazas y peligros de todo tipo y ahora tienen un centro lleno del amor y de la presencia de Dios.

Nuestros pastores principales
en Sudán del Sur

Aquí, al igual que en Mozambique, los niños necesitados han sido acogidos en el corazón del Padre y ahora están llenos y entusiasmados con la vida que hay en Dios. Sus sonrillas brillantes, risa, alabanza y juego son un reflejo de la vida del Cielo desde el punto de vista de un niño. ¡Seguimos aprendiendo como ser tan humildes y creyentes como un niño!

También tuvimos una conferencia para pastores de Iris, líderes de Sudán del Sur y cualquiera que quisiera unirse a nosotros para buscar al Señor juntos. Los ojos fueron abiertos de una manera fresca al fuego y a la presencia del Espíritu Santo y los corazones se ensancharon para recibir todas las enseñanzas que pudimos traer en unos pocos días. El celo, el quebrantamiento y clamor a Dios que se pudo ver en el suelo se combinó con una degustación del gozo del Señor. Intensidad, libertad y abandono comenzaron a reemplazar el orden programado en una manera que los participantes no habían visto antes. El conocimiento de la mente se convirtió en conocimiento del corazón. Para acabar bien las cosas, Dios multiplicó la comida cuando 100 niños aparecieron inesperadamente en una comida. ¡Todos tuvieron suficiente y sobró mucho!

El legalismo religioso, la tradición restringida y la confusión doctrinal se han colado en las iglesias tradicionales a lo largo de los años, incluso en el bush, y el cristianismo nominal es a menudo la norma. La justicia y el fuego purificador de Dios deben derrotar la corrupción y el aprovechamiento de la iglesia por toda África. Por ejemplo, los líderes necesitan resistir fuertemente y categóricamente a la brujería que tanto predomina – e incluso se mezcla con engaño dentro de la Iglesia. En esta conferencia tomamos el reto de perseguir la santidad, sin la cual nadie verá al Señor.

Estamos orgullosos de nuestra familia en Sudán y es para nosotros un privilegio seguir animándoles mientras perseguimos el avivamiento por toda África.

Derramando el Fuego

Heidi estaba ministrando con una gran gracia, favor y la presencia del Señor en Suiza y Francia mientras yo estaba en Sudán. Regresamos a Pemba y disfrutamos mucho de ministrar de nuevo a nuestra propia familia aquí en nuestro "lugar de origen". Es una rica experiencia el ver a mamás locales mozambiqueñas con sus bebés y ropa colorida orar con todos sus corazones en el altar junto con nuestros misioneros, personal y niños. Cristo sabe exactamente como tocar a cada una con lo que necesitan en el momento perfecto. ¡No estaremos satisfechos hasta que todos con los que nos encontremos sean salvos, llenos y sanados!

Justo ayer dedicamos una iglesia más en una aldea cerca nuestra en la costa del océano. Fue un viaje brusco en nuestro Land Rover, por un camino agrietado de tierra, pero llegamos a la aldea para encontrar un grupo de creyentes emocionados ansiosamente esperándonos. ¡Estaban tan orgullosos de su edificio de barro y paja!. Desde el más joven hasta el más mayor todos celebraron y alabaron a Dios con sus caras relucientes y gozosas. Oramos la bendición rica del Señor sobre ellos, dedicando el edificio, el pastor, la gente y toda la aldea al servicio de Dios. Esta es una victoria significante porque no hace tanto tiempo esta aldea estaba totalmente en contra del Evangelio y Heidi fue apedreada allí. Después de que un hombre sordo fuese sanado, soltaron sus piedras y lentamente abrieron sus corazones al Señor Jesús. Y así la familia de Dios está creciendo por toda la provincia, simplemente una iglesia tras otra.

Después de la dedicación, todos comenzamos a bajar en fila por un caminito de tierra a la playa para celebrar algunos bautismos en el océano. Fue un brillante día africano con una deslumbrante formación de nubes extendiéndose desde un cielo azul oscuro hasta un cálido océano de un azul aún más oscuro. Mientras los fieles adoradores cantaban y danzaban en la arena, uno por uno nuestros nuevos creyentes caminaron en el agua hasta donde estaban Heidi y nuestros pastores Mozambiqueños y fueron bautizados. Con las manos levantadas y gritos de gozo salieron del agua, conciencias lavadas limpias en la sangre del Cordero. ¡Nuevas criaturas, creadas en Cristo Jesús para buenas obras! Vencedores, herederos de las promesas, destinados para gloria y vida eterna. Heidi dijo que el agua estaba más caliente que un baño y muchas pequeñas criaturas del mar la picaron, ¡pero mereció la pena!

Nuestro grupo volvió a la aldea inspirado y contento a través de los arbustos y árboles. Una vez allí, todos festejaron con arroz y frijoles. Alimentados espiritualmente y físicamente, la aldea está lista para proseguir hacia Cristo. El aislamiento y pobreza no serán causa de marginalización para este lugar de reposo para el Espíritu Santo. Que "aún los más pequeños" reciban lo mejor.

Tiempo de Reflexión:

"Pero tenemos este tesoro en vasos de barro, para

*que la extraordinaria grandeza del poder sea de
Dios y no de nosotros". (2 Corintios 4:7)*

Soy un vaso de barro tan pequeño. Tengo poco que
dar, pero le daré lo poco que tenga. A Dios le encanta
cuando ponemos lo poco que tenemos en Su ofrenda.
No le importa que sea sólo un poco, le encanta cuando
damos lo que tenemos. Y aún cuando sólo tenemos un
poco que darle, se lo podemos dar todo. No sólo una
décima parte de nuestras vidas, no la mitad de nuestras
vidas, ni siquiera el 99.09%, sino todo de nosotros. Como
pequeñas semillas escondidas en la tierra, escondidas
profundamente en el corazón de Dios esperando Su vida,
que Su belleza brille sobre nosotros y a través de nosotros
para que podamos dar fruto. Como semillas que caen al
suelo – caen de Su amor y Su misericordia, humilladas aún
más. Semillas plantadas con ternura, gracia y compasión.
Pequeñas vidas entregadas para dar fruto.

Mi corazón clama "Oh, Señor, deshazme". No quiero
ponerme de pie, crecer o tener el control. Quiero
derramarme, entregarme, quiero que mis manos y mi
corazón, se queden sueltas, cedidas en Tu corazón y amor.
Se trata de ser más como Él, no más como yo. Lucharé
para ser desecha. Le pediré que me ayude a mantenerme
desecha. Sin terminar, siempre lista, siempre queriendo
ser más como Él. Su vida y Su amor derramadas en mi
vida vacía, para ser llenada y rebosante de este pequeño
vaso de barro.

¿Qué es un Cristiano? Alguien que es como Cristo.
Quizás no seamos Cristianos todavía, pero por la
Gracia de Dios nos estamos convirtiendo en Cristianos,
volviéndonos más como Él. Creciendo para abajo en vez
de para arriba. Humillándonos aún más hasta que nos
volvamos nada y Él se vuelva todo.

Conforme nos movemos en esta dirección,

entenderemos más y más porque Su amor requiere que los primeros sean los últimos y los últimos sean los primeros. Conforme vemos con Su corazón y con Sus ojos a los perdidos, los quebrantados, los vacíos, los huérfanos, aquellos a quienes les han quitado todo lo que tenían, conforme empezamos a ponerles a ellos primero, no haciendo nada para promocionarnos, sino haciendo todo a través de Su amor y por Su gloria – entonces nos estamos volviendo más como Él, Jesús, quien dio todo para ser como nosotros.

Jesús, el Rey de gloria quien se hizo como nosotros, quien se humilló a sí mismo y se volvió nada, tomando nuestra forma – forma de hombre, Cristo quien nació como nosotros, quien dio cada día de Su vida, cada respirar y su último suspiro para nosotros, quien derramó Su vida, aún Su sangre para que podamos tener vida y vida eterna – Se volvió como nosotros, que nosotros podamos volvernos como Él: transformados, absolutamente y completamente alterados, ya nunca más iguales. La misma vida de Jesús derramada en nuestros vasos vacíos, nuestros pequeños vasos de barro. Esto, mis amigos, es lo único a lo que debemos aspirar ser.

14
Disfrutando de Nuestro Dios

"Más amor y gozo".

Rolland: ¿El avivamiento es normal? El Catequismo de Westminster Shorter fue escrito en la década de los cuarenta del siglo XVII, por divinos Ingleses y Escoceses para educar a personas laicas en materias de creencia. Es parte de las declaraciones doctrinales más grandes que salieron de la Reformación Inglesa. Está compuesta por 107 preguntas y respuestas. La pregunta y respuesta más famosa en el Catequismo es la primera:

P. ¿Cuál es el fin principal del hombre?

R. El fin principal del hombre es glorificar a Dios y disfrutar de Él para Siempre.

Después de treinta años de trabajo misionero, Heidi y yo entendemos más que nunca que Dios quiere ser nuestro mayor placer. Él está más satisfecho con nosotros cuando nosotros estamos más satisfechos con Él. Y cuando Él está satisfecho con nosotros, Él nos concede los deseos de nuestro corazón (Salmo 37:4).

Nuestro objetivo último como cristianos y como misioneros de Iris, es glorificar a Dios en todo lo que pensamos, sentimos, decimos y hacemos. Para nosotros esto se expresa particularmente a través del ministerio a los pobres y "aún a los más pequeños". Cuando damos un vaso de agua fría, alimentamos a los hambrientos, vestimos a los desnudos, invitamos al desconocido, sanamos al enfermo y visitamos a aquellos que están en prisión amamos y servimos a Cristo mismo (Mateo 25).

Pero hay más. Hacemos esto a través de la gracia de Dios y el Poder del Espíritu Santo. Y aquí comienza la controversia. Hay una actitud que ve el avivamiento fogoso y las vidas llenas de milagros como la rara excepción, no como algo que sería de esperar en la vida cristiana normal. La idea es que la mayor parte de lo que hace Dios en el mundo lo hace de forma natural a través de virtudes santas como la dedicación, el trabajo duro, el fiel aguante, el sacrificio, la generosidad y la compasión. Esta visión de la vida defiende que tenemos que aprender vivir la mayor parte del tiempo sin la intervención milagrosa y arrolladora de Dios, y que tenemos que demostrar nuestro amor por Dios a través de nuestro carácter.

Entendemos que nuestro fundamento es la justicia de Dios, dada a nosotros líbremente en Cristo. Pero luego aprendemos que el amor a Dios y apreciarle significa anhelar Su presencia. Aquí tomamos una decisión. Como en cualquier romance, amamos todo sobre Dios y escogemos atesorar cualquier manera en la que Él se manifiesta a sí mismo. Continuamente deseamos más de Dios y nunca nos conformaremos con vivir distanciados de Él. Los grandes derramamientos del Espíritu Santo en la historia son faros para nosotros, siempre dándonos esperanza de una vida aún más abundante en Él. No deben de ser algo desesperadamente fuera del alcance del resto de nosotros, sino que deben incitarnos a todo lo que es posible en Dios.

Así que disfrutamos de la gama completa del trato

de Dios con nosotros y estamos siempre prosiguiendo hacia lo que está por delante – es decir, más de Dios. Cristo murió para que nuestra relación con Dios pudiese ser natural. Para que todo de lo que Él es capaz sobrenaturalmente se volviese natural y normal para Su gente. Todas las buenas obras que hemos podido hacer en este movimiento en África han sido prendidas, impulsadas y sostenidas por el fuego de avivamiento y de lo sobrenatural. Nunca podríamos haber llegado a este punto – 10.000 iglesias en total y 10.000 niños a los que cuidar – sin experimentar milagros en el camino. La vida es más que el alimento, y el cuerpo más que la ropa (Lucas 12:23). El Espíritu Santo nos da ríos de agua viva que fluyen de lo más profundo de nuestro ser. Amamos y disfrutamos todas las manifestaciones de la presencia de Dios, estamos llenos con toda la fuerza y motivación de hacer Su voluntad a través de buenas obras.

Hacemos lo que hacemos por visitaciones, visiones y el derramar de Su Espíritu sobre nosotros. Estamos

Heidi y los aldeanos bombeando agua en un nuevo pozo de Iris – un grandioso evento

emocionados y seguimos hacia adelante porque los muertos están siendo levantados y los ciegos y sordos están siendo sanados. Los pobres vienen a Cristo, aldeas enteras de golpe, porque ven el poder del amor de Dios. Somos financiados porque Dios provoca una generosidad sobrenatural en miles de personas sin que hayan recibido peticiones nuestras. Estamos asombrados y emocionados de que Dios entre de forma tangible en nuestras reuniones, tocando nuestros cuerpos y llenándonos hasta rebosar con amor y gozo – inexpresable y lleno de gloria. Estamos apasionados porque Él hace más de lo que podemos pedir o imaginar.

Es muy simple. Necesitamos avivamiento desesperadamente, todo el tiempo. Como he dicho antes, Heidi y yo estaríamos ahora los dos muertos si no hubiésemos experimentado una sanidad milagrosa. Todos los días nos enfrentamos a una necesidad, un dolor y un sufrimiento que clama por más de lo que cualquier humano podría responder. Nuestros propios corazones braman por el Dios vivo como el ciervo brama por las corrientes de agua (Salmo 42:1). Hemos sido creados para Dios. Hemos sido creados para el avivamiento. Hemos sido creados para la gloria de Su Presencia. Debemos encontrarnos con Él.

Así que decimos, ¡más avivamiento! ¡Más fuego! ¡Más señales y milagros! ¡Más dones del Espíritu! ¡Más intimidad! ¡Más amor y gozo! ¡Más fruto! ¡Vamos a encontrar a cada oveja perdida! ¡Vamos a acoger a cada huérfano! ¡Vamos a compartir el Reino! ¡Y nunca conformarnos con estar en la media, lo mundano o lo normal!

Resumiendo, ¡disfrutemos totalmente de nuestro Dios!

Heidi: La obra que tenemos por delante es enorme. No podemos hacer nada sin Jesús y sin el Cuerpo de Cristo, así que os invitamos a todos a trabajar con nosotros de

Visitas de corta duración orando por
los muchos enfermos en la aldea

todas las maneras posibles. El avivamiento trae fruto. Trae transformación de una manera completa y Dios usa a la gente para traerlo. No somos sólo ganadores de almas y definitivamente no sólo somos trabajadores sociales. Estamos persiguiendo el Reino. Para nosotros, el avivamiento incluye ayuda humanitaria y desarrollo – con una diferencia. Él es completamente práctico. En Mieze estamos estableciendo una comunidad que sirva como modelo para el resto de nuestro movimiento. Estamos poniendo énfasis en el sistema de microcréditos y emprendimiento.

Estamos perforando todos los pozos de agua que podemos en las aldeas del bush. Tenemos proyectos de hogares. Queremos expandir la agricultura. Tenemos una visión para una universidad que proporcione una educación para los pobres que provea oficios para trabajar en turismo, empresas e información tecnológica. Estamos abriendo un programa de apadrinamiento infantil para incrementar grandemente el número de niños a nuestro cuidado. Estamos creando una rama en Iris de ayuda humanitaria, que pueda responder a desastres alrededor del mundo. Cada tipo de iniciativa y ayuda es necesaria.

Una vez más, estamos muy agradecidos por nuestra increíble familia de Iris, que sin ningún tipo de presión, continúa apoyándonos y ayudándonos en nuestro trabajo con fiel y sensible generosidad de Dios. ¡Todos somos bendecidos!

Tiempo de Reflexión:

"Por tanto, si hay algún estímulo en Cristo, si hay algún consuelo de amor, si hay alguna comunión del Espíritu, si algún afecto y compasión, haced completo mi gozo, siendo del mismo sentir, conservando el mismo amor, unidos en espíritu, dedicados a un mismo propósito". (Filipenses 2:1-2)

¿Estamos unidos en Cristo? Nuestra relación, el amor que tenemos por Jesús y el amor que Él tiene por nosotros – ¿este amor nos anima? ¿encontramos consuelo en Su amor? ¿El Espíritu Santo nos ministra con su ternura y compasión? ¿Nos hace este amor más como Cristo? ¿Tenemos el mismo amor por otros que Él nos ha demostrado? ¿Tenemos ternura cuando estamos en el supermercado, cualquier compasión cuando paramos en el McDonalds? ¿La fragancia de Cristo fluye de nosotros cuando paramos por combustible o cuando salimos de un hotel?

Tenía hambre esta mañana y quería algo de desayuno. A menudo con nuestro horario no hay desayuno, no hay comida, no hay cena. Justo este día quería desayuno y no sucedió. ¡Yo era un vaso de barro hambriento! Quería estar llena y estaba vacía. Ser vaciado puede costarte el desayuno, te puede costar el tiempo que no tienes. Te puede dejar tan débil que no puedes levantarte. Pero cuando somos débiles, adivina qué, ¡Él es fuerte! Su poder es perfeccionado, satisfecho, completo en nuestra debilidad.

"Y El me ha dicho: Te basta mi gracia, pues mi poder se perfecciona en la debilidad. Por tanto, muy gustosamente me gloriaré más bien en mis debilidades, para que el poder de Cristo more en mí. Por eso me complazco en las debilidades, en insultos, en privaciones, en persecuciones y en angustias por amor a Cristo; porque cuando soy débil, entonces soy fuerte". (2 Corintios 12:9-10)

Mi oración es que tú y yo nos unamos más y tengamos la misma manera de pensar que Cristo, teniendo el mismo amor que Él tiene. Que animemos como Jesús, que consolemos como Jesús, que tengamos la misma ternura y compasión que Jesús. De forma que, estemos con quien estemos y vayamos a donde vayamos – si estamos de compras, con nuestros hijos, o alabando, o trabajando – seamos como Jesús.

"Nada hagáis por egoísmo o por vanagloria, sino que con actitud humilde cada uno de vosotros considere al otro como más importante que a sí mismo, no buscando cada uno sus propios intereses, sino más bien los intereses de los demás". (Filipenses 2:3-4)

Algunas veces podemos mirarnos los unos a los otros y pensar, "Ojalá fuese más como esa persona... ojalá la gente me notara así." Pero Dios valora nuestras vidas como son, escondidas en Él, y Él sabe qué es lo mejor para nosotros. En realidad, si supieras, quizás no querrías ser como la persona que piensas que lo está haciendo mejor que tú.

Estás en lo mejor cuando estás escondido profundamente en el corazón de Jesús. No hagas nada por egoísmo o por orgullo. No hagas algo porque estás buscando la aprobación del hombre. La única persona cuyo placer merece la pena tener, es Tu Padre Celestial.

15
El Avivamiento en forma de Misiones, Puro y Simple

"Conquistamos tomando el camino inferior".

Rolland: Jesús es nuestro enfoque. Si mantenemos la simplicidad y la pureza, nos mantendremos en el camino en medio de las diferentes ideas y corrientes que se pueden ver en la Iglesia.

"Pero temo que, así como la serpiente con su astucia engañó a Eva, vuestras mentes sean desviadas de la sencillez y pureza de la devoción a Cristo". (2 Corintios 11:3)

Fijamos nuestros ojos en Jesús, el autor y perfeccionador de nuestra fe. Cuando somos presionados al límite absoluto, como Pablo, nos proponemos no conocer otra cosa que Jesús crucificado. Él es la única base de nuestra confianza. Él es la línea divisoria, la piedra de tropiezo, la vanguardia, el punto en el cual conocemos la salvación y la vida. No hay nadie que produzca más controversia en todo el universo.

Confiamos en Él y lo amamos porque Él murió por nosotros y resucitó de nuevo de parte nuestra. Él es el que sufrió por nosotros. Él pagó el precio por nuestros pecados. Él compró nuestra vidas con Su sangre. Él nos enseñó lo que es el amor. Y por lo tanto somos leales a Él y sólo a Él. Le pertenecemos a Él no a nosotros mismos. Hacemos que sea nuestra ambición el agradarle. Si es necesario, al igual que Pablo, sufriremos pérdida de todas las cosas para así poder tenerle a Él. Abandonamos cada tentación en esta vida que aún en lo más mínimo nos aleja de Él. Él es nuestro mayor placer, nuestro compañero supremo. Ya no amamos este mundo ni nada en él, porque Él es el objeto supremo de nuestro deseo. ¡Digno es el Cordero!

Nos regocijamos en el hecho de que participamos en Sus sufrimientos, para que podamos estar llenos de alegría cuando Su gloria sea revelada. En el final de este tiempo sufriremos una oposición maligna y glorificaremos a Dios al vencer con una fe que demuestre ser genuina. En todos nuestros problemas, nuestro gozo no conoce límites. Como extranjeros y extraños en este mundo, esperamos con ansias nuestra perfecta herencia, guardada para nosotros en el Cielo.

En el Cielo Jesús será exaltado por Su sufrimiento obediente y de la misma manera, nosotros compartiremos con Él Su recompensa. Conquistamos al tomar el camino inferior. Ganamos vida al perderla por Su causa. Nos humillamos a nosotros mismos bajo la mano poderosa de Dios para que Él pueda exaltarnos en el momento apropiado. Aprendemos a amar al entregar nuestras vidas por otros y, al hacer esto, le ministramos a Dios mismo.

Es imposible ser devoto a Jesús y no compartirlo, puro y simple. No podemos verle ahora, pero Dios decretó que le amásemos a Él al amarnos los unos a los otros, a quienes sí podemos ver. Él es amor y no podemos separar el primer mandamiento del segundo.

Hay muchos llamados, pero ninguno mayor que dar agua al sediento y comida al hambriento. Los intercesores en casa y las tropas en las trincheras son iguales en Su Reino. Aprendemos a amar en la manera en que somos dotados y llamados por Dios.

El campo misionero es nuestro gozo y el resultado simple y lógico de conocer a Jesús. Tenemos vida y esperanza; otros no. Tenemos razón para regocijarnos; otros no. Tenemos amor en nuestros corazones; otros no. Tenemos comida y ropa; otros no. Tenemos salud; otros no. Tenemos familia; otros no. No tenemos razones por las cuales estar ansiosos; otros son cargados con cargas. El llamado de cada creyente es tener una parte en corregir estos desequilibrios.

Eso nos puede llevar al otro lado de la calle o al otro lado del mundo. Deberíamos estar totalmente disponibles a Dios para ir a donde sea y hacer cualquier cosa, en cualquier momento. Él puede y hará un camino a donde Él nos dirija. Este es el testimonio de Ministerios Iris, en todos y cada uno de nuestros treinta años.

Comenzamos cada día ejercitando automaticamente nuestra fe en Jesús al atacar cada problema y presión que tenemos. Ponemos toda nuestra ansiedad en Él porque Él cuida de nosotros. Esto nos libera para regocijarnos en Él siempre y tomar una perspectiva positiva en todo. ¡Después oramos para que ese sea el día más milagroso y victorioso que hemos vivido hasta la fecha! Y proseguimos a través del resto del día, amando y alabándole mientras usamos nuestros dones, naturales y sobrenaturales, para bendecir a cuantos podamos de la manera más profunda que podamos.

Para nosotros, la obra misionera es la obra visible de nuestra fe. Es la manera en la que devolvemos el amor que Dios tiene por nosotros. No hay otra opción.

El avivamiento sin una obra misionera está incompleto. El darle la espalda a los perdidos, pobres y necesitados es darle la espalda a Dios. Nuestra intimidad con Jesús se extiende del uno al otro. ¡Esta es la excelencia y perfección de Su Reino!

Una inolvidable conferencia al estilo del "bush" en Mieze

El polvo se mantiene densamente en el aire, una nube reluciente en la brillante luz inunda desde el exterior. Apenas puedo creer que estamos respirándolo.

Pies golpeantes, rítmicos están levantando cada partícula suelta del suelo de cemento. El fuego está en la atmósfera. Todos los rostros están transpirando. ¡Hay vida en el edificio!

Nuestros creyentes mozambiqueños del bush están bailando con todo su corazón, celebrando con todas sus fuerzas la dedicación de nuestro nuevo edificio para la iglesia en Mieze.

Hace nueve años llegamos a esta provincia del norte

de Cabo Delgado y empezamos una base en Pemba, un pequeño pueblo de costa con unas 50,000 personas. Las personas, predominantemente makuas, eran considerados un pueblo no alcanzado y no alcanzables. Pero el Espíritu Santo nos respaldó con poder y removió un gran hambre de Dios entre los más pobres de los pobres – de la misma forma que lo hemos visto hacer una vez tras otra a lo largo de los años. Esta fue la segunda iglesia que plantamos, a sólo unos veinte minutos de camino al sur de Pemba.

Desde entonces nuestro cuerpo de creyentes pionero de Mieze se ha desarrollado hasta ser una precursora para el resto de las iglesias en la provincia, ¡que ya son más de 1.700!.

¡Casi no podemos seguir el ritmo!

La iglesia de Mieze se ha convertido en más que una simple choza de barro con reuniones los domingos – se ha vuelto un prototipo modesto de desarrollo comunitario y de transformación que continúa progresando cada semana. Aquí aprendemos lo que es posible en Dios para los pobres de esta nación y cómo el Reino puede impactar cada aspecto de la vida en la aldea. ¡El Espíritu Santo vino a Mieze hace años y Su fuego está brillando con más fuerza que nunca!

La santa presencia de Dios se manifiesta aquí en un abanico hermoso de posibilidades, incluyendo las sanidades que la gente ha venido a esperar y recibir regularmente. Su presencia se refleja en la convicción más profunda, las lágrimas de desesperación, arrepentimiento, anhelo y alivio; alabanza silenciosa, glorioso y también el gozo más energético del Señor, ¡bailando delante del Señor con toda nuestra fuerza!

Su presencia en el bush de África se ve en forma de casas, escuelas, granjas, comida, pozos de agua, familia, adopción de muchos niños, comunidad, milagros, diversión - ¡un espectro lleno de vida en Dios!

Hoy también podemos celebrar este nuevo edificio en Mieze, el fruto precioso de mucho trabajo duro y la paciencia que ha fluido de la visión de nuestro Pastor Juma y el director, Dr. Don Kantel.

El edificio es simple y básico hasta el límite, pero grande y emocionante, un centro comunitario de fe y esperanza en un mar de pobreza.

Tenemos oradores invitados muy especiales, un sistema de sonido que funciona (¡a veces!), un equipo de alabanza de Pemba, y la presencia de Jesús. Afuera hemos montado nuestra nueva carpa evangelística, cubriendo más reuniones para niños y grupos especiales. Multitudes se han unido de todas las direciones del bush, llenando la iglesia y con solemnidad y exuberancia estamos dedicando este edificio físico para el uso del Maestro, como Él escoja usarlo.

En medio de la oscuridad del aislamiento, el paganismo y la brujería se ha levantado una gran luz – una gente entregada a Cristo – y hoy estamos entusiasmados. Que Mieze demuestre el camino para la gente pobre y rural a través de nuestra familia de Iris. La transformación viene, en el nombre de Jesús.

El Poder del Evangelio en un Pueblo Bandido Salvaje

Heidi: Hace frío dentro de mi tienda de campaña. Tengo un catre incómodo que me mantiene elevada del suelo, pero hay un tubo que presiona contra mi espalda y es difícil relajarse. Mientras intento acomodarme de alguna forma, estoy en mi saco de dormir con la cremallera cerrada y una diminuta almohada. Oro durante un largo tiempo, simplemente repasando con Jesús lo que ha pasado esta noche.

El patio de tierra de afuera está cubierto de tiendas de campaña, de todos los colores y formas. Un contingente de nuestra escuela bíblica y nuestra escuela de misiones está acampando aquí para celebrar una campaña en Namanhumbiri, que ha sido llamado el lugar más peligroso de la provincia, quizás del país. Son simplemente chozas de barro en este pequeño pueblo infame, pero su reputación es conocida por todas partes.

Nuestros amigos inconversos mozambiqueños en Pemba están horrorizados de que estemos aquí. Este lugar frecuentado por traficantes de rubíes que han venido desde tan lejos como Somalia y Tailandia para

Entre bastidores en la cocina de nuestra gran conferencia en Mieze

buscar su fortuna en el negocio de las piedras preciosas. Namanhumbiri tiene una larga historia de violencia incontrolable. Sólo recientemente el gobierno ha empezado a intentar controlar el salvaje tráfico ilegal y el bandalismo. Los niños son vendidos por menos de diez dólares. Esclavas sexuales que se quedan embarazadas a los once años. Los asesinatos son frecuentes. Los ricos depósitos de rubíes en la zona han convertido en una cueva de maldad lo que sería un hermoso y pacífico bush en el interior de Cabo Delgado.

Ya tenemos una iglesia y un pastor en Namanhubiri, pero nuestros pastores líderes de Iris en pueblos cercanos han orado durante mucho tiempo por victoria espiritual aquí y para que traigamos equipos para retar las fuerzas de la oscuridad de esta región. Después de un largo viaje desde Pemba para traer un camión lleno de estudiantes, esta noche hemos tenido nuestra segunda campaña evangelística en el pueblo. Como siempre, presentamos la película de Jesús que tuvo la completa atención de más de mil expectadores incluyendo a muchos niños vestidos en los típicos harapos de pobreza mozambiqueña. Predicamos con todo nuestro corazón y una vez más, la respuesta al Evangelio fue entusiasta.

En estas campañas siempre oramos por los enfermos y normalmente milagros significativos captan la atención de todo el mundo. Sí vimos sanidades físicas, pero esta noche fue inusual porque la mayor necesidad entre el público fue la de liberación de espíritus malignos y alcoholismo. Aquí es común que los demonios ahoguen a la gente por el cuello en la noche. Nuestro equipo impuso manos sobre todos los que estaban a su alcance. El alivio y el gozo se extendieron a través de la multitud mientras el poder del Espíritu Santo liberaba a un alma oprimida después de otra. Cristo es la respuesta, siempre, ¡para todo!

Nuestro pequeño campamento, tan prominente entre las chozas de barro, se ha calmado. La mayoría de nuestros misioneros y pastores locales están dormidos. Le pido a Jesús que ponga sus ángeles alrededor nuestra por protección. Muchos corazones se han abierto a Él esta noche, los atados y oprimidos prueban la emoción de la libertad en el Espíritu. Nuestros pastores están contentos y hemos tomado un paso decisivo hacia la transformación de esta comunidad. Estamos asombrados de lo rápido que el avivamiento se está extendiendo en el norte de Mozambique. Hemos añadido cientos de iglesias en los últimos meses y ahora sumamos unas 1.700 iglesias en esta única provincia. Vivimos para dar fruto y le damos gracias a Jesús por tal privilegio. A la primera luz de la fresca mañana nos despertamos con un charloteo ligero mientras nuestras visitas salen de sus tiendas de campaña para ver a niños gozosos de la aldea por todas partes. El desayuno es café, pan y mermelada, un lujo aquí. Nadie tiene prisa. Nos relajamos y hablamos sobre nuestra campaña y los retos únicos que tiene este lugar.

Pero anoche sucedió mucho más de lo que nos dimos cuenta. Estoy sentada en una esquina bajo un tejado de paja entrevistando un hombre joven que tiene un testimonio. Él es el sobrino del jefe de la aldea y él jamás será igual. Desde que era un niño pequeño de más o menos ocho años nunca ha escuchado un sonido. Estaba en nuestra reunión observando todo pero no podía oir nada. Yo oré por él y luego, mientras él dormía, tuvo una visión en la cual un hombre vestido de blanco venía a Él y le ponía gotas en su oído.

¡Esta mañana se despertó escuchando perfectamente y capaz de hablar de nuevo! Yo le expliqué que el hombre era Jesús y ahora tenemos otro ferviente creyente entre nosotros.

Nos tenemos que ir del bush en avión para ir a otra reunión, pero no dejamos al equipo aquí a solas y organizamos para que se los lleven a otra aldea más segura para pasar la noche. Animamos a nuestro pastor en la zona y decidimos quedar con su gente lejos de las amenazas que experimentan en el edificio de su iglesia. Todos caminamos por un largo camino de tierra, pasando muchos traficantes de rubíes y llegamos a un hermoso estanque a las afueras de la aldea. Alabamos al Señor líbremente en la belleza del campo abierto y salvaje y bautizamos nuevos creyentes en el agua fría entre las flores y lirios. Hasta esos hombres duros que conocimos por el camino se enternecieron cuando nos paramos con ellos. ¡Todo el avivamiento que podemos experimentar es poco!. Una vez de regreso en Pemba, nuestros amigos mozambiqueños que no asisten a la iglesia están empezando a entender por qué vamos a propósito a lugares oscuros y peligrosos donde hay tanto sufrimiento. No tenemos miedo. El amor de Dios no carece de poder y traemos Su presencia con nosotros. Cada día ponemos en práctica nuestra fe y

Heidi escuchando el testimonio de un niño que había sido sordo durante muchos años y ahora está totalmente sanado después de que Jesús se le apareciera en la noche

miramos hacia adelante, buscando manifestaciones aún más grandes de lo que sólo Él puede hacer. Así que ¡ora con nosotros mientras asignamos un equipo fuerte para volver a Namanhumbiri y traer más de Su Reino! Nuestra fe se ha fortalecido más a lo largo de los años y por lo tanto Cristo nos está permitiendo enfrentarnos a retos mayores. Oramos para que compartáis nuestra emoción de lo que el Espíritu Santo está por hacer entre nosotros, sigue derrumbando lo peor que Satanás puede hacer en la tierra. Nuestro trabajo y nuestra determinación no son en vano. Corramos la carrera para ganar y prosigamos hacia adelante juntos hacia lo mejor que está por venir.

Tiempo de Reflexión:

> *"El amor es paciente, es bondadoso; el amor no tiene envidia; el amor no es jactancioso, no es arrogante; no se porta indecorosamente; no busca lo suyo, no se irrita, no toma en cuenta el mal recibido; no se regocija de la injusticia, sino que se alegra con la verdad; todo lo sufre, todo lo cree, todo lo espera, todo lo soporta". (1 Corintios 13:4-7)*

El amor siempre tiene esperanza. Dios siempre se deleita en nosotros. Él ve lo mejor en nosotros y le encanta que persigamos el oro. Así que, olvidando lo que queda atrás, proseguimos hacia la señal de Su alto llamado. ¿Cuál es la señal de Su alto llamado? Amor, amor y más amor.

Su amor es suficientemente grande para tocar cualquier vida. Su amor es capaz de transformar lo malo hasta que deletree vida. No mueras en la oscuridad o depresión, en el enfado o en el dolor – sino que déjale tomarte y hablarte esperanza y valor, hasta que estés listo y seas capaz de vivir en Su amor.

Había un niño en el norte de Mozambique del que escuchamos porque había violado a una niña pequeña. Era un niño que sufría un retraso que hizo una cosa horrible. Cuando escuché de él, sentí al Espíritu Santo extendiéndose hacia él. Tuve que encontrar al niño. Nadie quería que lo encontrase. Me dijeron, "Heidi, te estamos avisando – a éste no lo puedes tener".

Pero el amor de Dios es suficientemente grande para tocar cualquier vida, para crear luz en cualquier oscuridad. Jesús vino para que pudiésemos tener vida, para que ya no tuviésemos que morir en depresión, enfado o dolor. Amó a la gente hasta darles vida. Él iría a cualquier sitio, hablaría con cualqueir persona y en donde fuese, Él se pararía por una sola persona; el olvidado, el rechazado, el marginado, el enfermo, incluso el apedreado y el moribundo. Hasta por el ladrón que moría por sus delitos en la cruz al lado de la suya. En el reino del amor de Dios no hay pecador que no pueda venir a casa.

Oré sobre este niño: "Por favor Señor, déjame tener a este niño".

Volé desde el sur de Mozambique hasta el norte buscándolo y eventualmente lo encontré y luego lo acogimos. Ese niño que hizo algo terrible es una imagen de la gracia de Dios. Oh, que podamos estar tan cedidos a Su gracia amorosa que nada pueda entreponerse entre nosotros y él que está en frente nuestra.

Creo que Jesús hubiese dado su vida por esta única persona. Jesús se vació a sí mismo, se humilló a sí mismo, y se entregó tanto al amor de Su Padre que no tuvo ninguna ambición propia. No estaba buscando construir un imperio, no quería alabanza o adulación o impresionar a la gente con quién o con cuántos le seguían. Él paró una y otra vez por sólo una persona, para sólo una vida.

Dios está buscando amantes entregados que se darán a sí mismos por sólo una persona. Verdaderemante creo que en el cielo, tu recompensa será igual de grande si realmente amas a una persona, que si vieras a millones de personas dar sus corazones a Jesús.

¿Serás un amante entregado?

¿Entregarás tu vida a Su amor?

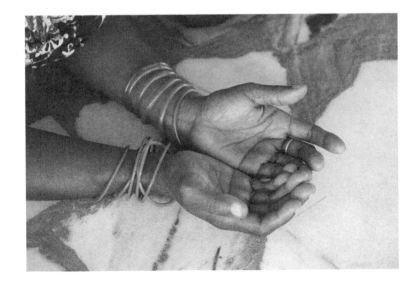

16

Nuestros Valores Fundamentales: Simpleza, Controversia & Sin Opción

"El amor no carece de poder"

Rolland: ¡Pemba es un sitio improbable para una conferencia de liderazgo que tiene como objetivo el avivamiento global! Escondida en nuestra choza acogedora de oración en la playa, sin embargo, con brisas fuertes azotando nuestras crudas paredes de lona, nos juntamos para representar nuestra familia mundial de Iris. Nos encontramos con Dios y nos derretimos juntos en Su presencia, fuera de la ciudad en un camino de arena bajo un cielo brillante africano de día y una luna radiante de noche. El ambiente natural se sentía salvaje, crudo y pacífico; el ambiente espiritual marcó un hito en la historia de Iris. Por primera vez nuestros líderes claves de las bases de Iris alrededor del mundo se unieron para orar, descansar en su presencia, alabar, soñar y encontrar unidad juntos. Más de cien misioneros y trabajadores de docenas de países vinieron a la pequeña Pemba en nuestra remota esquina de África. Durante días comimos y bebimos, lloramos, reímos y celebramos juntos mientras nos edificamos los unos a los otros en fe con nuestros ánimos y testimonios. Nuestro orador invitado, Bill Johnson, trajo con él profundidad y la santa presencia de Dios.

Nos asombramos mientras empezamos a comprender el grado de lo que Dios ha estado haciendo entre nosotros y la fuerza de nuestra familia unida. Nosotros, un cuerpo orientado a misiones, estamos disfrutando de Dios y de nuestra vida de servicio a Él en un nivel que Heidi y yo nunca anticipamos hace treinta años cuando nos dirigimos al campo misionero por primera vez.

Para nosotros como líderes, las reuniones fueron una gran oportunidad para articular como nunca antes lo que hace que Iris, sea "Iris". La palabra es "arcoíris" en Griego y también en Portugués. Heidi y yo empezamos como un ministerio Cristiano de teatro llamado "Producciones de Arcoíris". Vimos diferentes talentos creativos como colores de un arcoíris a través de las cuales brilla el Hijo, dando un resultado hermoso.

"Contendemos ardientemente por la fe que de una vez para siempre fue entregada a los santos" (Judas 1:3) y nunca hemos intentando enfatizar nada que sea original, nuevo, inteligente o diferente. Intentamos no ser controvertidos y compartir con todas las corrientes cristianas lo que ningún cristiano nacido de nuevo puede discutir:

- La gloria del Evangelio simple
- El arrepentimiento y fe en Jesús
- La simplicidad y pureza de la devoción a Cristo.
- Evadir cualquier cosa que vaciaría la cruz de su poder
- Cuando visto entre la espada y la pared el no conocer nada excepto a Cristo crucificado.

- Buscar la justicia que viene de la fe
- La transformación a través de la adopción de nuestro Padre Celestial.
- Entender la fe obrando a través del amor como la única cosa que cuenta.
- Con la esperanza de alcanzar la resurrección de la muerte.

Conforme cambiamos el curso de ser un ministerio evangelístico itinerante a pararnos de forma intencionada por los pobres, nuestra visión sobre las misiones se volvió más integral. No teníamos opción. Cuando la gente tiene sed y están hambrientos la cosa más santa que podemos hacer es ofrecer un vaso de agua fría y pan fresco. Pero no somos sólo trabajadores sociales, tenemos pan fresco que baja del Cielo, Cristo mismo. Nuestro ministerio nunca está terminado.

"A Él nosotros proclamamos, amonestando a todos los hombres, y enseñando a todos los hombres con toda sabiduría, a fin de poder presentar a todo hombre perfecto en Cristo". (Colosenses 1:28)

En el proceso descubrimos que no podemos ser sólo un orfanato, o una iglesia o una escuela Bíblica, o una organización de ayuda humanitaria. No podemos sólo tener conferencias en el bush, plantar granjas o dar asistencia técnica. Como una familia internacional debemos abrazar todo lo previamente mencionado y más, compartiendo la actitud de Pablo en Hechos:

"Pero en ninguna manera estimo mi vida como valiosa para mí mismo, a fin de poder terminar mi carrera y el ministerio que recibí del Señor Jesús, para dar testimonio solemnemente del evangelio de la gracia de Dios". (Hechos 20:24)

Pero hemos descubierto que algunos elementos

claves de nuestras vidas y ministerio en Jesús, que aunque absolutamente necesarios, son controvertidos. Pensamos que deberían ser normales en la vida cristiana y en el ministerio cristiano en todas parte, no debería ser algo especial o fuera de lo común. Heidi y yo empezamos siendo ingenuos en estas áreas, pero hemos llegado a darnos cuenta de que debemos apreciar, proteger y nutrir estos valores en nuestros corazones e impartirlos a otros. Si perdemos cualquiera de estos valores, Iris no funcionaría y no sería lo que es a día de hoy. Cuando todos estos elementos funcionan juntos, ¡es como si hubiese una cadena de reacciones espirituales, generando vida y calor en el Espíritu! Los siguientes cinco valores no son sólo críticos para nosotros, sino que el Espíritu Santo los trajo al primer plano de nuestra mente en nuestra conferencia de liderazgo.

1) Entendemos que podemos encontrar a Dios y podemos experimentar intimidad, comunicación y compañerismo con Él en Su presencia, si compartimos Su amor por la justicia.

Las misiones a menudo han sido enseñadas como poco románticas – sólo disciplina obediente a la Gran Comisión. Hemos sido enseñados que la oración es un trabajo arduo, que los sentimientos son irrelevantes y terminar el trabajo es lo que cuenta – que no necesitamos una experiencia espiritual para proclamar el Evangelio; que no podemos esperar que la intimidad e inmediación sean normales y que podemos operar sin Su presencia manifiesta.

Nosotros pensamos al revés. Hemos pasado por suficiente fuego y dificultad para saber que "Me buscaréis y me encontraréis, cuando me busquéis de todo corazón" (Jeremías 29:13). Sin realmente encontrar a Dios, en cumplimiento con Jeremías 29:13, no podemos hacer lo que hacemos. No podemos amar con amor sobrenatural, imparable a menos que realmente experimentemos primero el amor del Padre hacia nosotros. Jesús, en calidad de imagen exacta del Dios invisible, es un amante espiritual, nuestro compañero sumo y perfecto. Nuestro primer valor es conocerle en una relación apasionada con un amor que es más fuerte que la muerte (Cantar de los Cantares 8:6). No nos graduamos primero en estrategia de misiones, métodos, proyectos y levantamiento de fondos, sino en tener la vida de Dios que el mundo tanto necesita y anhela.

Pero tampoco nos atrae un misticismo sin sentido e impersonal; una mera experiencia sin contenido ni relación. Perseguimos una pasión pura y verdadera, no sólo balance oriental y serenidad sin una base para la felicidad. Nos relacionamos con Dios tanto con nuestras mentes como con nuestros corazones. Nos relacionamos con él y encontramos vida y gozo en nuestra interacción. Cuando le encontramos, le encontramos y lo ganamos todo. Sin Él, no podemos hacer nada de verdadero valor.

2) Tenemos total dependencia en Él para todo y necesitamos y esperamos milagros de todo tipo para sostenernos y confirmar el Evangelio en nuestro ministerio.

Cuando nos enfrentamos con gran necesidad en nuestra fragilidad humana, rápidamente alcanzamos los límites de nuestros recursos, nuestra sabiduría y nuestro amor. Nos enfrentamos con una pobreza abrumadora, enfermedad, ataques demoniacos y todo tipo de maldad. Pero con emoción y gozo miramos más allá de lo que podríamos imaginar hacer en nuestras propias fuerzas. Corremos hacia la oscuridad buscando las buenas nuevas porque es el poder de Dios que le da esperanza al mundo. No nos disculpamos por buscar y valorar el poder de Dios, porque sin ello, el amor es incompleto e ineficaz. El amor no carece de poder.

Heidi y yo comenzamos nuestra vida de misiones con el sueño de vivir el Sermón del Monte, creyéndole a Jesús Su palabra de que no nos tendríamos que preocupar sobre el mañana. Nos imaginábamos tratando cuestiones de extrema necesidad humana a través del ejemplo, viviendo sin ansiedad, libres para bendecir siempre con motivos puros, mirando sólo a Dios para la provisión de lo que nuestros corazones y cuerpos necesitasen. No miraríamos ni a la izquierda ni a la derecha para conseguir apoyo. En cada obstáculo, nuestra única confianza sería en la cruz de Cristo y la convicción de que Dios está emocionado de que a lo largo del camino confiemos en sus milagros.

Todavía creemos que experimentamos milagros porque los valoramos y los pedimos, entendiendo

Heidi orando por los sordos –
11 personas fueron sanadas de sordera

que Él nos los seguirá dando sólo si los milagros no nos distancian de Él. Por Su causa perdemos nuestras vidas a diario, sabiendo que por Su poder no podemos perder, sino que seremos sostenidos y seremos más que vencedores.

Creyentes del *bush* en oración en nuestra conferencia de Dondo

El motor detrás del crecimiento de Iris en Mozambique ha sido un matrimonio entre el amor y el poder. No tenemos que escoger entre los dos, sino que podemos esperar ansiosamente el hacer aún cosas mayores que Cristo, mientras permanecemos en Su amor.

3) Buscamos avivamiento entre los quebrantados, humillados y despreciados y empezamos desde abajo con ministerio hacia los pobres. Dios escoge las cosas débiles y menospreciadas de este mundo para humillar a los orgullosos, demostrando Su propia fuerza y sabiduría. Nuestra dirección es siempre hacia abajo, humillándonos más.

No somos expertos. No hemos aprendido como

hacer iglesia y avivamiento. Sólo sabemos humillarnos bajo la poderosa mano de Dios (1 Pedro 5:6). Gravitamos hacia las cosas bajas del mundo. La competencia y la comparación con otros no van con nuestro ADN. No sentimos presión alguna de tener éxito ni sobresalir, sino que nos gloriamos en hacer las cosas bien por el poder del Espíritu.

Las maneras de Dios son las opuestas a las del mundo. Nosotros usamos nuestro tiempo en aquellos que no tienen influencia. Enfocamos nuestra atención en los pocos, nos paramos aunque sea por sólo uno. Enseñamos que a Dios le importa cuando a nadie más le importa. Vamos a los descuidados, olvidados y los que están solos. Si es posible, iremos a cualquier sitio, para ministrar a los mansos y desesperados, los pobres en espíritu, a aquellos que verdaderamente entienden su necesidad por Dios.

4) Entendemos el valor del sufrimiento de la vida Cristiana. Aprender a amar requiere la disponibilidad de sufrir a causa de la justicia. La disciplina y las pruebas nos hacen santos y producen en nosotros la santidad sin la cual no veremos el rostro de Dios ni compartiremos Su gloria. Junto con Pablo nos regocijamos en nuestras debilidades, porque cuando somos débiles somos fuertes. Bajo gran presión aprendemos a depender de Dios quien levanta a los muertos (2ª de Corintios 1:9).

Jesús fue recompensado por aguantar la oposición maligna sin pecar. Nuestra recompensa en el Cielo será por lo mismo – por hacer la voluntad de Dios.

Resistimos el pecado, si es necesario, hasta el punto de derramar sangre, al considerar Su ejemplo (Hebreos 12:3).

Jesús es glorificado ahora no sólo porque ejerció

su poder sobre Sus enemigos, sino porque los superó con amor. Ese tipo de amor implica sufrimiento – la disponibilidad de poner la otra mejilla, hacer un sobresfuerzo, negarnos a nosotros mismos, tomar nuestra cruz y seguirle. Nos demostró la única manera de ser contados dignos y los ángeles lo cantan: *"El Cordero que fue inmolado digno es de recibir el poder, las riquezas, la sabiduría, la fortaleza, el honor, la gloria y la alabanza".* *(Apocalipsis 5:12)*

No hay atajo a nuestra herencia espiritual: *"y si hijos, también herederos; herederos de Dios y coherederos con Cristo, si en verdad padecemos con Él, a fin de que también seamos glorificados con Él". (Romanos 8:17)*

5) ¡El gozo del Señor no es opcional y tiene mucho más peso que nuestro sufrimiento! Cuando estamos en Cristo, el gozo se convierte en nuestra motivación, recompensa y arma espiritual. En Su Presencia hay plenitud de gozo y junto con Pablo testificamos que en todos nuestras aflicciones nuestro gozo sobreabunda (2 Corintios 7:4). Es nuestra fuerza y energía, sin la cual moriremos.

¡El gozo sobrenatural del Señor puede que sea el valor principal más controvertido! Pero nuestro objetivo es impartir tanto del Espíritu Santo ¡que la gente no pueda dejar de rebosar con amor y gozo! Pasamos por convicción y quebrantamiento, incluso diariamente pero no nos quedamos allí. El Reino es justicia, paz y gozo en el Espíritu Santo (Romanos 14:17), en ese orden. Y en Su gozo somos todos más capaces de tener compasión por los demás, sin que nos estorben nuestras propias aflicciones.

Heidi y yo nunca hubiésemos podido aguantar tanto tiempo sin un río de vida y gozo fluyendo a través de lo más profundo de nuestro ser. No somos cínicos ni estamos cabizbajos en cuanto al mundo y la Iglesia. Sino que estamos entusiasmados con nuestro perfecto Salvador, quien es capaz de terminar la obra que Él comenzó en nosotros. No ganamos nada al ser negativos, pero vencemos al mundo con la fe de que podemos poner nuestras cargas sobre Él.

El gozo, la risa y un corazón ligero no son irrespetuosos con Dios ni incongruentes con este mundo, sino que son evidencia de la vida en el Cielo. No nos referimos a una levedad barata y necia que acaba en aflicción, sino a que en la exaltación de la verdad y en la realidad de nuestra salvación, hay una obra poderosa del Espíritu.

En estos días nos identificamos más y más con los cautivos de Israel que fueron traídos de vuelta a Sión:

"Entonces nuestra boca se llenó de risa, y nuestra lengua de gritos de alegría; entonces dijeron entre las naciones: Grandes cosas ha hecho el SEÑOR con ellos. Grandes cosas ha hecho el SEÑOR con nosotros; estamos alegres. Haz volver, SEÑOR, a nuestros cautivos, como las corrientes en el sur. Los que siembran con lágrimas, segarán con gritos de júbilo. El que con lágrimas anda, llevando la semilla de la siembra, en verdad volverá con gritos de alegría, trayendo sus gavillas". (Salmo 126:2-6)

¡Lucha intensa! Manifestaciones violentas en las calles de Mozambique

Al principio de mes, manifestaciones violentas irrumpieron en las calles de Maputo, la capital de Mozambique. Muchas personas salieron a protestar por las dificultades que les estaban ocasionando los costes de productos básicos que se habían disparado. El pan subió un 30%, y 50kg de arroz costaba el equivalente a la mitad del sueldo de un mozambiqueño medio. ¡En un país donde hay un 14% de desempleo! Encima de eso, la moneda del país se había devaluado. Sobrevivir es muy difícil para una nación que tiene que importar tanto.

La gente interrumpió la vida en la ciudad bloqueando el tráfico con ladrillos, rocas, tuberías y árboles; volteando y quemando autobuses, quemando carros, ruedas y gasolineras, tirando piedras a los coches, rompiendo parabrisas y atacando a cualquiera que intentaba romper el asedio llevando pasajeros. La policía avanzó contra las masas radicales con gas lacrimógeno y empezaron a disparar tanto con balas de goma como con munición real. Diez personas murieron y otras 300 resultaron heridas. Las escuelas (incluyendo la nuestra), negocios y el aeropuerto fueron cerradas. La violencia amenazó con expandirse a otras ciudades del país.

La policía usando balas de verdad para controlar
el disturbio en Maputo

Ahora las cosas se han calmado pero estos eventos recientes nos recuerdan que Mozambique, ahora el sexto país más pobre del mundo, sigue siendo una tierra de desesperante pobreza para la mayoría de la gente. Hemos visto un número enorme de gente venir al Señor y cómo muchos han sido bendecidos pero debemos proseguir hacia delante hasta que el Evangelio cubra la tierra. Únete con nosotros en fe y oración por paz, seguridad, piedad y prosperidad al enfrentarnos con tremendos retos y opresión demoniaca. Durante quince años hemos visto cómo ha crecido el avivamiento en Mozambique. ¡No pararemos ahora! Jesús, termina lo que has empezado y haz que Mozambique sea un modelo para África en el cumplimiento de tus promesas. En el Reino de Dios, ¡lo mejor está siempre en el futuro!

Perdiendo Un Avión, Ganando Uno Mejor

Durante diez años he escrito historias de cómo el avivamiento se ha esparcido por todo Mozambique. En parte fue porque nuestro avión ligero Cessna 206 que nos había sido donado nos permitió tener conferencias frecuentes en el bush y realizar ayuda humanitaria a grandes distancias de nuestra base.

Mozambique es un país enorme. Sus costas se extenderían desde México hasta el final de Alaska. Hay pocas carreteras y la mayoría son desiguales y casi intransitables la mayor parte del año, incluso con cuatro por cuatros.

Sin el avión, el tiempo y el desgaste en los vehículos nos hubieran impedido la mayoría de nuestro ministerio. Usamos el Cessna excesívamente y ¡yo disfrutaba de pilotarlo como si fuera mi catedral personal, a través de los cielos gloriosos del este de África! Pero el enemigo intenta resistir todo lo que hacemos y en la noche del 3

Cesnna 206 destrozado en el bush

El piloto sobrevivió milagrosamente y salió caminando después
de chocar con árboles en la oscuridad

de septiembre, el Cessna N4744F, mi regalo y abrazo de Dios, conoció su fin.

En aquel entonces yo estaba fuera de Mozambique y nuestro avión era pilotado desde Pemba a Sudáfrica, por un piloto americano llamado Andrew Herbert. Al llegar al final de una parte del viaje, mientras Andrew estaba comenzando a descender hacia la ciudad de Beira, desde 8.000 pies de altura en la oscuridad, el propulsor se soltó del motor y el avión dio tumbos literalmente fuera de control.

Cayendo en picada a una velocidad de 2.000 pies por minutos y luchando para mantener el avión en nivel, Andrew se enfrentó a un aterrizaje forzoso en la plena oscuridad de la noche. Incluso con la luz de aterrizaje encendida, Andrew no podía ver nada y se abrió paso a través los árboles en el bush. El avión quedó completamente destrozado, pero ¡Andrew sobrevivió milagrosamente con nada más que un mal corte en su barbilla!

El accidente sucedió alrededor de las 19:00 horas. Durante horas y horas, amigos de Beira buscaron los escombros, conduciendo a través de ríos y pantanos, atascándose una vez tras otra, preguntándole a los aldeanos del camino si habían escuchado o visto algo. Finalmente, fueron dirigidos al lugar y encontraron a Andrew a las 2:00 de las madrugada, vivo, emocionado y tan agradecido a Dios por haber salvado su vida.

Las autoridades de aviación están investigando el fallo del hélice, que se produjo después de haber recibido el visto bueno para volar tras un mantenimiento rutinario reciente.

Esto es un recordatorio de que estamos en una batalla espiritual seria y continua. Necesitamos y valoramos tu oración e intercesión en cada área.

Ahora nuestros corazones y nuestra atención están puestas en la promesa de un nuevo avión, un Quest Kodiak, que nos será entregado el próximo año entrante. Es turbohélice de diez asientos, de alto rendimiento, especialmente diseñado para situaciones misioneras en el bush. ¡Su velocidad, carga, robustez, utilidad y su ejecución de aterrizajes en pistas cortas, es justo lo que necesitamos!

¡Una Gran Batalla!

Estamos ocupados en una gran lucha por las almas en África, sabiendo que nuestra lucha aquí, y en todas partes, no es contra carne y sangre, sino contra huestes espirituales de maldad en las regiones celestiales (Efesios 6:12). Nuestra batalla ha sido indescriptivamente intensa en los últimos meses, pero al mismo tiempo descansamos en nuestro perfecto Salvador que nos sostiene a través de las oraciones de tantos.

Nuestra mayor gratificación viene de ver al Espíritu Santo llenar a tantos corazones hambrientos espiritualmente con amor y gozo por todo Mozambique. A esto unimos la apertura de nuestras nuevas bases de Iris por todo el mundo. Entendemos que con un fruto tan grande también viene la realidad de las desilusiones, los ataques, retos personales y fracasos trágicos. Estos no nos alejarán de vivir en la abundancia de todo lo que Dios ha hecho entre nosotros. ¡Vivimos para experimentar Su Presencia y verle cumplir lo que sólo Él puede hacer!

Tiempo de Reflexión:

"Este es mi mandamiento: que os améis los unos a los otros, así como yo os he amado. Nadie tiene un amor mayor que éste: que uno dé su vida por sus

amigos". (Juan 15:12-13)

Hay algo en el hecho de convertirte en nada que crea una paz y felicidad verdaderas. Rolland ha descubierto esto de una forma muy hermosa. Él ha llegado a conocer el gozo de no tener que ser nadie. No tenemos todas las respuestas, pero Dios sí. Nosotros no somos la respuesta, pero Dios sí.

Lo único que Dios quiere que hagamos es que pongamos nuestras vidas en la suya. ¿Sabes cuánto estrés desaparece cuando por fin decides dejar de intentar solucionar todo y le dejas a él guiarte, día a día?

"Por eso Jesús, respondiendo, les decía: En verdad, en verdad os digo que el Hijo no puede hacer nada por su cuenta, sino lo que ve hacer al Padre; porque todo lo que hace el Padre, eso también hace el Hijo de igual manera". (Juan 5:19)

Este es Jesús, el Hijo del Dios altísimo, diciéndonos como volvernos nada. Cristo sólo hizo lo que vio hacer al Padre. Sólo hizo lo que Dios le dijo que hiciera. ¡Qué carga nos quita esto! No tenemos que solucionar todo, estar en todos los sitios y hacer todo. Lo único que tenemos que hacer es lo que Dios nos está dirigiendo a hacer.

¿Qué te está guiando Dios a hacer? ¿Animar a tu marido o amigo, planear algo especial para tus hijos, ir a Colombia, adoptar un hijo, cuidar de alguien enfermo o incapaz de cuidar de ellos mismos? Sólo tenemos que dar lo poco que tenemos. Él no está esperando más. Dios toma lo poco que tenemos y lo multiplica.

¿Porqué no empezar cada día pidiéndole que te enseñe qué quiere que hagas hoy? Sólo preocúpate por el día a día en el que vives. Esto te quitará una carga tremenda de los hombros, el no tener que preocuparte más que por el día de hoy. No tienes que preocuparte de quién tienes que ser, dónde deberías estar y cómo vas a llegar allí. Si decidimos en nuestros corazones dejar que Dios nos guíe y no tenemos ambición propia, Él guía nuestro camino. Ya no tenemos que hacer que las cosas sucedan. ¿Porqué no depender de Su fuerza en vez de la nuestra? Su poder es perfeccionado en nuestra debilidad.

Cuando eres niño, no esperas el tener que planear tu propia vida, encontrar tu propia alimentación, ser totalmente responsable por todo. Somos Sus hijos y aquí está, con los brazos abiertos, pidiéndonos que confiemos en Él para guiarnos y proveer para nosotros. Yo no me quedo despierta por las noche preguntándome cómo voy a alimentar a todos los niños de los que cuidamos ¿Por qué no? Porque le pertenecen a nuestro padre Celestial. Eso significa que yo soy libre de hacer algo, ir a cualquier sitio, con tal de que yo sepa que Él me está guiando. Amado, antes de cualquier otra cosa, somos hijos Suyos.

¿Sabes que por el hecho de que eres Su hijo eres libre? Libre para amar a cuántos Él te llame a amar – muchos o pocos, libre para limpiar inodoros o subirte a un avión, libre para hacer cualquier cosa que Él quiere que hagas. Somos libres para servir al que es digno, de la manera que Él escoja, hasta la muerte (Filipenses 2:8).

Podemos regalar nuestras vidas con gran gozo y paz, sabiendo que no estamos perdiendo nada. ¡Te quita tanta carga de encima el no tener que preocuparte sobre quién deberías ser, dónde deberías estar y cómo vas a llegar allí!.

Parte Cuatro: No Por Fuerza

Heidi predicando a una aldea desde la parte
de atrás de nuestro camión

17
En El Camino Con Iris

"Jesús está vivo, ¡Él está aquí!"

Rolland: Ayer Heidi y yo llegamos muy sucios a casa en Pemba. Calurosos, sudando, con la ropa empapada y pies llenos de polvo y lodo. ¡Parecíamos misioneros de verdad! Nuestro Land Rover viejo y chirriante estaba rebosando de compañeros de ministerio mozambiqueños y algunas visitas. Volviendo a casa como una gran familia feliz después de derramar todo lo que pudimos en otra visita a una aldea en el bush. Llevábamos el material y las provisiones aplastados entre nosotros, sobre nuestras rodillas y debajo de nuestras piernas, habíamos estado hablando sin parar del puro gozo de servir a la gente aquí. ¡Somos ricos de verdad!

El Land Rover es lento y va recargado pero es completamente práctico para nosotros. La gran baca pesada puede facilmente cargar con todas nuestras tiendas de campaña, sacos de dormir y material para dormir. Su bobina larga de suspensión nos lleva a casi cualquier sitio, a pesar de los baches profundos y el barro. Esta es nuestra máquina misionera y nuestros equipos conducen otros igual que este. Campañas como esta son el fundamento de nuestro ministerio, parte de nuestra rutina semanal. Pero lo que Dios hace en estas campañas es cualquier cosa menos rutinaria.

En medio de todos los problemas que atraviesa Mozambique, un avivamiento profundo se está arraigando en toda la provincia de norte donde vivimos. Puede que el diablo nos intente culpar por muchos tipos de fallos, pero nosotros simplemente nos gloriamos en nuestras debilidades (2 Corintios 12:9) y nos deleitamos en el poder total que Dios ha exhibido entre nosotros en los últimos años. Estamos satisfechos y extremadamente animados con Su mano de obra. Es obvio que este poder transcendental le pertenece a Dios y no viene de nosotros (2 Corintios 4:7).

Nuestra campaña comenzó el jueves, hace dos días. Primero enviamos dos camiones remolcaldores de cuatro toneladas con pabellones. Con ellos viajaban nuestro grupo principal de visitas y ministros mozambiqueños. Estos camiones llevan nuestro sistema de sonido, pantalla proyectora, generador y cualquier otra cosa que necesitemos. Nuestro equipo está abollado, vapuleado y cubierto con tierra, pero sigue funcionando. ¡Esto es África! Nuestro equipo es invitado a formar parte de la experiencia sublime de rebotar durante horas sobre caminos bruscos, cociéndose en el calor, sentados en el suelo duro de los caminos. ¡Es un privilegio que no debe ser olvidado!.

El primer grupo llega al final de la tarde y empiezan a montar una pequeña aldea de tiendas de campaña, tan curioso para los mozambiqueños rurales que no están acostumbrados a esas conveniencias. ¡Lo único que necesitan ellos es un tapete o una esterilla de paja! Luego nuestros atrevidos evangelistas montan el generador, el sistema de sonido y el proyector de vídeo, ahora con toda la aldea acercándose por todas partes, anticipando otra noche de Iris bajo las estrellas y con Dios siendo el centro de atención. Ahora es difícil encontrar una aldea en la que no hayamos ministrado. Hemos estado viniendo a esta aldea durante tres años y cada vez le añadimos conocimiento y experiencia del Evangelio a la gente. Estamos emocionados y asombrados de lo que está pasando en esta tribu, ¡ahora con cerca de dos mil iglesias!

Nuestro siguiente grupo llega después de anochecer. La película de Jesús está siendo proyectada y ahora podemos ver la pantalla reluciente desde lejos. Tenemos la película memorizada hasta el detalle, pero la aldea entera está allí para verlo una vez más, hipnotizados y estáticos. Muchos no pueden leer, pero nunca se olvidarán de la película. Es increíble la cantidad de idiomas en la que ha sido doblada esa banda sonora, ¡hasta en nuestro Makua local, aquí en los confines de la tierra!.

La luz del proyector es la única luz que hay. Sin luz de la luna, pero con millones de estrellas. Estos aldeanos no tienen electricidad, linternas o pilas. Las visitas pueden ser reconocidas por sus lámparas LCD en la cabeza y por sus sorprendentes flashes saltando de sus impresionantes cámaras. A estas alturas nuestros amigos africanos ya saben sobre los equipos que vienen y se llevan bien entre ellos. El final de la película muestra a los discípulos postrados en alabanza a Jesús y nosotros encendemos nuestros focos. ¡Esto realmente es un sobresfuerzo para el generador!

Heidi se llena de vida, su llamativa y profunda voz zumbando en Makua y Portugués, para la fascinación de la gente. ¡Cristo está vivo!, ¡Él está aquí y podemos tener la mejor noche jamás con nuestro Perfecto Salvador!. Nuestro equipo dramatiza con energía la historia del Buen Samaritano, que impacta de forma permanente a esta cultura. Entre esta gente, que una vez fue considerada oscura e inalcanzable, parece que todos quieren a Jesús. La mayoría quieren al Espíritu Santo. La mayoría quieren oración. La mayoría quieren corazones mejores, más amor y gozo, más de Su Presencia. No estamos avergonzados de nuestro entusiasmo. Para nosotros, las reuniones son un tiempo para desatar las emociones, un regalo del cielo, ¡estilo-Africano! Y el Espíritu Santo nos respalda.

Muchos quieren oración por sanidad, así que nuestro equipo se reparte y pone manos sobre los enfermos. Ya que hemos venido a esta aldea tantas veces, las necesidades son relativamente menores. Pero un hombre es totalmente sanado. Él había perdido parte de la audición en un oído y estaba totalmente sordo en el otro. ¡En los últimos años hemos visto una oleada de gente ser sanada de sordera casi semanalmente!

Los aldeanos siempre parecen asombrados y animados de que la gente viaje de tan lejos y use tanto dinero para venir y bendecirlos. Saben que no venimos con ningún otro motivo y se sienten honestamente

El desayuno con nuestro equipo en la misión de alcance

amados. Después de la reunión, ¡responden a nuestro amor al darnos lo mejor en forma de comida!

Esa noche trajimos con nosotros nuestro espaguetti habitual y nuestro atún, pero ellos superan eso facilmente con su pollo gourmet del bush. Realmente, nunca ha sabido mejor. Explican cómo lo hacen. Primero, tienes que matar el pollo – muy importante – luego desplumar y destriparlo, sí, sí. Arrojarlo en la cazuela sobre el fuego y remover: cha-cha-cha-cha...luego hace schhhhh, y sabes que está terminado. Y la parte más increíble: consiguen tomates, cebolla, ajo, especias, y más ¡hasta producir una salsa increíble de la que nunca nos cansamos!. ¿Cómo consiguen todos estos ingredientes en el bush tan lejos de Albertsons? Ponen un gran plato lleno de pasteles harinosos blancos y nosotros nos lanzamos a la cazuela de pollo y seguimos mojando una y otra vez el pan en el rico jugo rojizo. Pero comer así es realmente excepcional, guardado absolutamente para las ocasiones más especiales.

Finalmente, a media noche nos metemos en nuestras tiendas, subimos la cremallera e intentamos matar hasta el último bicho que podemos ver con el spray que siempre traemos. Yo pensé que leería la Biblia y que escribiría, pero estaba demasiado cansado. Esto es suficiente trabajo del Reino para un día.

El día empieza muy temprano en el bush. En el primer destello del amanecer, los niños aldeanos rodean nuestras tiendas emocionados para ver quien sale de ellas. Como es de esperar, salen extranjeros despeinados con la cabeza y el maquillaje desordenado, intentando encontrar cepillos de dientes y el retrete. Una persona de nuestro equipo se cayó en el retrete y aún así ¡increíblemente decidió quedarse para la campaña! Pronto nos organizamos lo suficientemente para empezar a servir bebidas calientes con pan y mermelada para nuestro equipo extranjero y la familia nacional. Bajo nuestro techo de paja colgante, con nuestra vista del bush salvaje y frondoso, nos sentimos satisfechos y en casa. ¡Esto son las misiones!

Ninguna campaña está completa sin una reunión con el jefe local, en la que decidimos construir otra escuela y planeamos perforar otro pozo. Luego tenemos la reunión de iglesia. Nuestros edificios eclesiales de Iris normalmente son sólo chozas de barro y paja con suelos de tierra y un fino tejado. Este estaba seriamente dañado por una tormenta de viento y la mitad del tejado había sido arrancado. Sin importar, un grupo grande de nosotros nos reunimos emocionados en nuestro tabernáculo humilde en el bush para disfrutar de la presencia de Dios juntos. Ritmos africanos escalofriantes son la norma en nuestras reuniones, con energía y danzas que siguen el ritmo. Pronto una oleada de niños nos inundan y no los alejamos como tienen costumbre de hacer en África.

Los ponemos delante y les ministramos. Nosotros, los adultos, hemos aprendido que o somos como ellos o no entraremos al Reino. Nuestro lugar en el bush – destino improbable para un avivamiento - late con la vida del Cielo. Predicamos, haciendo que el Evangelio sea lo más claro posible, enfatizando siempre la justicia, la paz y el gozo en el Espíritu Santo que viene por fe en el poder de la cruz. Oramos y el Espíritu Santo cae sobre muchas visitas, misioneros, pastores e incluso sobre el jefe de la aldea. Dios en su misericordia nos llena con más amor y gozo de lo que podemos expresar. Que Dios no tenga competencia en el bush de África, que Él sea el placer más grande en las vidas de estos preciosos santos que confían tan simplemente en su Salvador perfecto. Nos gloriamos en Su poder para ponernos con seguridad en Su Reino celestial y para estar con nosotros en cada paso del camino.

Un ingrediente crítico de cualquier campaña del bush es nuestro tiempo de discipulado con un grupo selecto de creyentes locales. Esta vez Heidi se sienta afuera bajo un árbol con los líderes cristianos de la aldea, que ahora han llegado a ser sus amigos cercanos, y les enseña sin prisa y calladamente de las Escrituras. Esto realmente es un tiempo valioso, por muchas razones este es el punto álgido de la campaña. Con hambre y ansias todos hacen preguntas, buscando más entendimiento. Muchos ya han estado en nuestra escuela Bíblica en Pemba y continúan prosiguiendo hacia lo mejor. Nuestra meta va más allá de los número o de alimentar, nuestra meta es "presentar a todos perfectos en Cristo" (Colosenses 1:28).

Mientras Heidi está enseñando, los miembros de nuestro equipo están repartidos por toda la aldea visitando a la gente en sus chozas y orando por los enfermos. Los aldeanos están muy tocados por estas visitas y, a su vez, las visitas están profundamente impactadas con la realidad de la pobreza extrema combinada con la fe y el gozo de la gente que apenas tiene nada excepto a Cristo

Enseñando a niños en esta aldea remota

Los hombres se quedan atrás, pero siguen escuchando atentamente

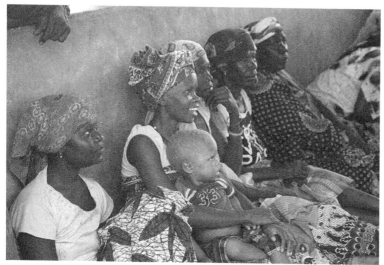

Escuchando el Evangelio con gozo fresco

y el uno al otro. Sus espíritus crecen con una generosidad que sólo puede venir del cielo.

Nuestra campaña termina con una comida gourmet, otra vez producida orgullosamente y ofrecida para honrarnos al máximo. ¿Cómo podemos responder a tales corazones de oro? Sí, estamos viendo avivamiento, con una simplicidad y pureza que nos quita el aliento. ¿Cómo merecimos el privilegio de estar aquí y ser testigos de la obra de Dios de esta manera? La piedad junto con el contentamiento es una gran ganancia y nuestra gente está en paz, sin embargo seguimos expectantes por lo que pasará en el futuro. Cristo dijo que a aquellos que tienen se les dará más. Mozambique va hacia adelante y hacia arriba.

De camino a casa, nos paramos en la prisión local y tenemos otra probadita de lo que sólo Dios puede hacer si nuestro enfoque está en Su Hijo. El avivamiento está estallando bajo el ministerio de Ania Noster, una misionera a largo plazo de Iris y una amiga cercana, y

Ezekiel, un ex-prisionero. Como es de esperar, el interior de la prisión es sombría, oscura y claustrofóbica. Unos pocos prisioneros siguen encerrados en sus miserables, sucias celdas, pero la mayoría están reunidos en un pasillo estrecho y largo con ventanas altas de seguridad.

Al entrar, se nos da la bienvenida con grandes aclamaciones de alabanza, y a una voz la prisión retumba con adoración ferviente. Nosotros nos unimos, asombrados, viendo cómo todos estos delincuentes peligrosos cantan con todo su corazón a Jesús, la verdadera razón por la cual viven, la esperanza de sus vidas, el gozo de su salvación. Raramente hemos visto una evidencia tan poderosa del cambio de espíritu. Éste es el camino a la transformación, la punta de lanza del avivamiento: ¡Cristo el que murió y resucitó por nosotros! Él es la personificación perfecta del amor y el poder que todos necesitamos y sólo nuestra fe en Él puede vencer al mundo.

El ambiente en el oscuro, horrible y depresivo lugar fue extraordinario. De la misma manera, Su presencia en nuestros momentos más difíciles es lo único y es todo lo que necesitamos. Nuestra esperanza en Él es segura, nuestro futuro está protegido y reservado para nosotros con seguridad. ¡Puede que estemos en prisiones de muchos tipos, pero tenemos un Liberador!

Después de la prisión condujimos los últimos veinte minutos de vuelta a Pemba, parando para comer fruta y merienda en un puestito en el camino. Yo estaba muy ansioso e incómodo con tantas cosas que tenía en mi regazo. Casi no me podía mover. ¡Qué día más completo!. No podía esperar para ducharme y tomarme una Coca Cola fría. ¡Y una buena noche de sueño! Otro día en la vida de Iris. Y otro día de vida eterna. En Cristo, lo mejor está siempre en el futuro...¡mantente sintonizado!

Tiempo de Reflexión:

"Y le dijo: Corre, habla a ese joven, y dile: "Sin muros[a] será habitada Jerusalén, a causa de la multitud de hombres y de ganados dentro de ella. 5 "Y yo seré para ella" —declara el SEÑOR— "una muralla de fuego en derredor, y gloria seré en medio de ella." (Zacarías 2:4-5)

Yo había estado en el hospital, enchufada a un goteo intravenoso durante 18 días. Mientras estaba en el hospital, me habían dado un montón de consejos. Profetas me dijeron que me pusiese de pie así que yo intentaba ponerme de pie. Luego gente que me decía que Dios me estaba diciendo que me acostase, así que me acostaba y así. A Rolland se le enseñó cómo hacer un tipo de cosa iónica magnética, recibí remedios naturales y los primos de remedios naturales. Agradecí todo, pero al final pensé, "Señor, ¡creo que estos remedios me van a matar!" Me cansé de hacer planes para ponerme mejor.

Creo que esta enfermedad fue más que una enfermedad terrenal, creo que era una señal de lo que Dios nos está diciendo. Hemos florecido en el movimiento de renuevo, en la presencia de Dios y en la obra hermosa de Su Espíritu Santo. Hemos trabajado como Zacarías y los judíos que fueron llamados a construir el Templo en Jerusalén. Hemos trabajado durante años, a través de mucha oposición. Pero no estamos construyendo muros, ¡somos Su templo!

Debemos ser su lugar de reposo, un lugar que es totalmente dado a Él. Somos llamados a cumplir Sus planes y Sus propósitos, no a estar medio llenos sino a estar totalmente poseídos por Él. Nosotros somos Su templo.

¿O no sabéis que vuestro cuerpo es templo del

Espíritu Santo, que está en vosotros, el cual tenéis de Dios, y que no sois vuestros? (1 Corintios 6:19)

Satanás está intentando destrozar tu destino, el templo de Dios. Si no puede usar el pecado, usará la enfermedad o el agotamiento. Así que tenemos que pelear. Pero la manera en la que peleamos va a sonar extremádamente extraño para cualquiera a quien le guste pensar en un plan. La manera en la que peleamos no es averiguando, planeando y organizando. En este caso, planear no es el remedio para la enfermedad y el agotamiento. La obediencia es el remedio.

Dios nos está llamando a acostarnos espiritualmente – a dejarle amarnos hasta que estemos llenos de Él, llenos de Su amor y Su vida.

Durante 12 años el pueblo Judío había estado reconstruyendo el templo y estaban agotados, pero Dios le dio a Zacarías una promesa: Dios mismo habitaría con Zacarías y el pueblo, justo allí en el lugar que no tenía paredes, sin manera terrenal de protección, porque Dios dijo,

"Y yo seré para ella...una muralla de fuego en derredor, y gloria seré en medio de ella."

Dios sería la gloria en medio suya. Él llenaría Su templo. Su templo sería el lugar de reposo para Su gloria y Él sería un muro de fuego; Él lo protegería. Y por lo tanto debemos pelear, no para hacer un templo sino para ser Su templo. Para convertirnos en un lugar de reposo para Su habitación hermosa y santa. Para ser totalmente poseídos por la gloria del Señor. Él no nos está llamando a correr con más fuerza, sino a acostarnos.

¿Cuál es tu destino? ¿Es ir a la universidad, estar en el hospital, vivir en el basurero o ir a las naciones? Donde quiera que acabes y hagas lo que hagas, tu destino es este: ser totalmente poseído por la presencia de Dios. Llevar Su gloria. Luego, si estás en una universidad, un hospital o un basurero, tú eres Su lugar de reposo y lo único que puede haber allí es vida y belleza.

18
Día de los Niños

"¡Mira lo que Dios ha hecho!"

Rolland: Nuestros niños apenas podían dormir anoche. Hoy celebraremos un día festivo nacional fabuloso en Mozambique, el ¡Día de los niños! En cada base, nuestro magnífico staff ha estado trabajando durante meses para preparar una fiesta gigante, un banquete de celebración. Habrá regalos, comida, baile, juegos, canciones, alabanza, amor y oración – todo para regocijarnos de la vida que Cristo nos ha traído.

Heidi y yo nos levantamos pronto. ¡Hoy tenemos que vernos perfectos! Las cámaras estarán en todos lados y nuestros niños están esperando mucha atención. Bajamos a la carga al centro en nuestro viejo, rechinante y destrozado Land Rover, que todavía sigue fuerte. La propiedad entera de Pemba está pulsando con energía. Es un día perfecto. El cielo es claro y azul, el océano está en calma, la temperatura es perfecta. Todos tienen un trabajo que hacer. Nuestros trabajadores de cocina han estado despiertos toda la noche preparando pollo para más de cuatro mil personas. Otros han estado pintando y decorando habitaciones, envolviendo regalos, vistiendo a los niños, asegurándose de que todo está en orden.

Ahora viene el tiempo para derramar amor sobre cada tesoro individual que Jesús nos ha traído. Empezamos con nuestra casa de bebés. Cada niño recibe una bolsa de regalo, abrazos enormes y tiempo de juego. Cada regalo se saca de una bolsa ... los ojos y las sonrisas, grandes, emocionadas. Muchos de estos bebés llegaron a nosotros, desharrapados, delgados, hambrientos y muriéndose de malnutrición, pero ahora hacemos rebotar sus cuerpos gorditos en conjuntos de ropa linda sobre nuestras rodillas y nos asombramos de su transformación.

Seguimos moviéndonos a través de los diferentes dormitorios, yendo a los más mayores, empezando con los niños. Cada cuarto está limpio y es cómodo, decorado con flores, globos y serpentinas, las paredes pintadas con murales divertidos y versículos bíblicos. ¡Qué contraste con las chozas destrozadas y las favelas de las que vienen estos niños! Estamos tan orgullosos de nuestro staff que pasó tanto tiempo comprando cuidadosamente para cada grupo de edad. Mamá Heidi pasa mucho tiempo con cada uno de los niños, asegurándose de que cada uno se siente muy amado. Todos nuestros misioneros, equipos visitantes, estudiantes de escuela de misiones y staff mozambiqueños, todos se están derramando en los niños en su día tan especial.

Ahora, ¡tiempo para comer! Sólo hoy tenemos una mega-producción. Hemos invitado a miles de niños de la comunidad – los más pobres de los pobres que pudimos encontrar – quienes nunca han tenido tal festejo. Se han formado colas desde el fondo de nuestra propiedad y sabemos que alimentarlos tomará todo el día. ¡Esto es emocionante! Un banquete aquí sólo puede significar una cosa: Pedazos de pollo a la barbacoa con Coca Cola y todo el arroz y ensalada de col que se pueda comer, un obsequio excepcional para la mayoría de los Mozambiqueños. Nuestro comedor es un show. Extranjeros y Africanos de todas las edades

¡Una línea de ensamblaje en la cocina para preparar comida para 4,500 personas!

Pollo, arroz y refrescos – no hay nada mejor

están por todos los suelos y bancos. ¡Qué maravilloso caos!. Botellas, platos y sobras por todas partes mientras intentamos limpiar todo. La línea de ensamblaje de la cocina está produciendo montones de comida deliciosa hora tras hora. En una nación pobre y hambrienta, ¡Esto es el Cielo en la tierra!

En medio de esta extravagancia culinaria, un grupo de nuestras niñas más jóvenes añaden un sabor de riqueza cultural con una actuación de baile que han estado preparando durante semanas. Los tambores, el ritmo, los destellos, la energía brillante, todos contribuyeron a un ambiente de emocionante celebración. Estos niños están vivos, sanos, emocionados, llenos de vida y esperanza. ¡Qué espectáculo y regalo para toda nuestra visita y staff!

Después de la comida, Hiedi y yo visitamos nuestros niños más mayores y luego nuestras niñas, habitación tras habitación. Han estado esperando pacientemente la mayor parte del día y ahora les damos atención individual. Estamos gozosamente impactados con la diferente perspectiva que tienen estos jóvenes desde que llegaron por primera vez a Iris. Hace unos años, cuando se les preguntó sobre sus aspiraciones y sueños, lo único que podían imaginar era simplemente suficiente comida para comer, algo de ropa y quizás un sitio decente donde vivir. ¡Ahora están rebosando con una ambición positiva! ¿Qué quieren ser? Un médico, un ingeniero, un piloto, un pastor, un maestro, un evangelista, un misionero... las respuestas fluyen con ojos brillantes y sonrisas anchas. Mozambique está siendo transformado, ¡una vida tras otra!

Este único día, puede parecer un momento breve, puede parecer un momento relativamente insignificante y quizás liviano en nuestra larga historia de esfuerzo por el Evangelio en esta pobre tierra, pero en realidad es una imagen viva de lo que Dios ha hecho entre nosotros. El amor de Dios ha llegado a las vidas hasta de los más pequeños en esta tierra, ofreciendo esperanza y un futuro tanto en esta vida como en la venidera. Estamos viendo Su amor manifestado de maneras incontables, reales y prácticas. Delante de nuestros ojos estamos siendo testigos del fruto de años en Mozambique y sabemos que este fruto perdurará.

Estamos animados. Dios nos ha traído hasta aquí y Él continuará revelando sus caminos y revelándose a sí mismo, aquí en los confines de la tierra, a los hambrientos y humildes. Verdaderamente Él nos ha dado un depósito y una garantía de lo que está por venir en la siguiente vida. Por Su gracia el Evangelio está marchando hacia adelante.

Aquí en Mozambique, en el corazón de Iris, ya hemos visto más del poder de Dios de lo que pudiésemos haber imaginado jamás. Hemos recibido más de lo que podríamos haber pedido o imaginado. Pero aún

Sólo unos minutos antes, este bebé estaba ciego con ojos completamente blancos

así, Cristo continúa inundándonos con más y no hay límite. Dios derrama Su Espíritu sin medida. Así que proseguimos hacia lo que está por delante...

Aquí hay un bebé, ciego desde el nacimiento con ojos blancos y nublados. Es sanado con un flash ante varios cientos de mozambiqueños, estudiantes de la escuela de misiones y visitantes. Esto ocurre en una iglesia de Iris con el suelo de cemento y el tejado de hojalata, en Mieze, cerca de Pemba. Y ahora aquí tenemos una comunidad floreciente de creyentes que han sido testigos de un manantial de milagros en los últimos años.

Nuestras bases en Pemba siguen creciendo, ofreciendo una iglesia comunitaria para miles, una escuela Bíblica, una escuela de misiones, un centro infantil, una escuela primaria y alojamiento para cientos de misioneros, estudiantes, personal y visitantes. Estamos inundados con extranjeros de decenas de países, lo cual es exactamente lo que el Espíritu Santo ordenó, y corazones de alrededor del mundo están siendo formados para el ministerio a los pobres. Estamos en medio de un torbellino del Reino de actividad sobrenatural, una obra soberana de Dios que nos arrasa en asombro y maravilla refrescante.

Por supuesto, que también somos probados y refinados hasta lo más profundo. Donde quiera que Dios esté activo hay respuestas y reacciones de todos los tipos. Algunos fracasan y caen al borde del camino. Espiritualmente, estamos en lo profundo del territorio enemigo y seguimos siendo amenazados con la aniquilación de nuestro ministerio. Llevamos heridas y hemos sufrido accidentes, pero nuestro fallecimiento es grandemente exagerado.

Nos movemos de gloria en gloria conforme aprendemos a través de nuestras dificultades a confiar en Dios quien levanta a los muertos (2 Corintios 1:8-11).

Los muertos están siendo levantados, los perdidos están siendo salvados, los hambrientos están siendo alimentados, los que están solos son puestos en familias, los pobres y desesperanzados tienen visiones y sueños, y el amor, paz y gozo reinan de forma creciente. Todo esto es Su trabajo y Él es capaz de terminar lo que Él empezó. Él es perfecto y Él nos perfeccionará.

Nuestra escuela Bíblica para pastores del bush sigue siendo un gozo para nosotros. Los estudiantes nos llegan durante tres meses cada año durante tres o cuatro años y para entonces están realmente sumergidos en la Palabra y el Espíritu. Luego tenemos estudiantes de quinto año, a quienes llamamos nuestros "MM's" (Misioneros Mozambiqueños). Estos son verdaderamente humildes, maduros, sólidos, portadores fervientes del Evangelio, la respuesta de Dios para este país, y sus testimonios son emocionantes de escuchar.

Gozo, visitaciones, sanidades, salvaciones, transformaciones de todo tipo fluyen a través de ellos. Estamos tan orgullosos de ellos. Ellos deberían de estar enseñando a los extranjeros, ¡incluyéndonos a nosotros! Aquí está uno de nuestros héroes, el pastor Adriano, quien ha sido usado junto con muchos otros para levantar a los muertos.

"Nuestra escuela de misiones, Harvest, en Pemba opera dos veces al año durante diez semanas y siempre produce una familia de misioneros que es cercana, gozosa, llena, libre y desatada que está ansiosa por rendir sus vidas por amor. Oramos para que el poder dé cabida y responda a todo el hambre e interés que viene de todo el mundo. El lugar donde aprender sobre misiones es el campo misionero, donde cada día ponemos en práctica lo que Cristo pone en nuestros corazones. Qué Él continúe llamando a muchas personas, parte de este rico grupo de vidas, para ayudarnos a terminar la obra de testificar del evangelio de la gracia de Dios, en los lugares más necesitados del mundo."

Polvo y basura por todas las calles en Yei

Bautismos en un estanque comunitario, Yei, Sudán

También tenemos tanto que reportar de las otras bases de Iris. Estamos viendo el nacimiento y crecimiento de un movimiento de misiones marcado por una apreciación sana de todo lo que el Espíritu Santo puede hacer, sostenido por la interacción de la Palabra y del Espíritu. Nuestra ambición no es Iris sino producir fruto eterno que traiga placer a un Dios y Salvador.

Elaina era una niña traumatizada de quince años cuando las Naciones Unidas la trajeron a nuestra base de Iris en Yei, Sudán. Había escapado a través de la frontera de Sudán después de ser secuestrada y brutalizada por la LRA en las junglas de la República Democrática del Congo. Elaina fue torturada, vio a gente ser matada en frente de ella y atada a árboles, era abandonada durante varios días. Cuando Elaina llegó casi no podía incorporarse, no tenía el uso de ninguna de sus manos. Lo que tenía eran cicatrices por todo su cuerpo y una mirada lejana de miedo y dolor en sus ojos.

Después de pasar tiempo con Michele Perry y el resto de nuestra familia de Iris en Yei, la alcanzamos, ahora está contenta y relajada, y se rie con los nuevos amigos alrededor. Dos meses más tarde, estaba de vuelta con su familia en Aba, República Democrática del Congo, sanada y restaurada en Cristo con casi toda la fuerza devuelta a sus manos. Uno a uno seguimos viendo víctimas de la crueldad de Satanás traídos de vuelta a la vida, sanados por dentro y por fuera, una imagen del gozo de Jesús. Si hay esperanza en Jesús para Elaina, hay esperanza para cualquier persona, en cualquier lugar.

Jesús ha estado ocupado en Yei de la misma forma que lo ha estado en todas partes de nuestro mundo de Iris. Aquí hay una muestra de las buenas noticias que nuestros estudiantes de avivamiento de Iris reportaron durante nuestra última visita a Yei:

VISITACIÓN: Dos de nuestros estudiantes fueron a visitar uno de nuestros vecinos en Yei, un hombre católico. Todos en su familia estaban seriamente enfermos. Dios le dio al hombre un sueño la noche previa de que dos hombres vendrían a orar y él vio a Jesús viniendo con ellos. Al día siguiente aparecieron nuestros estudiantes. El hombre estaba fuera de sí por el hecho de que desconocidos viniesen a orar por él. Todos fueron sanados.

PRISIÓN: Los oficiales han estado pidiendo oración aquí porque los espíritus malignos estaban atormentando. Nuestro equipo oró en cada habitación y los demonios se fueron. Muchos prisioneros salieron adelante para ser desatados de los dolores en sus cuerpos. Cuando escogieron perdonar estos dolores se fueron. El equipo oró por un hombre que tenía dolor por todo el cuerpo. Dijo que había estado en la prisión durante seis años y que había sido acusado falsamente. En el momento en que escogió perdonar a su acusador en oración, el dolor se fue.

HOSPITAL: Dios está sanando a tanta gente. El hospital, que había estado lleno durante las últimas 3-4 semanas, está casi vacío. Hay muy pocas personas enfermas por las que quedan orar. Las enfermeras han estado agradeciendo a nuestros equipos y pidiéndonos no sólo por oración, ¡sino por enseñanza para aprender a orar por sus pacientes!

HOSPITAL: Una mujer estaba tirada sin vida en el suelo en uno de los pabellones. Había querido morir y se tomó un veneno que la había dejado ciega, sorda, muda e incapaz de hablar o caminar. John Sebit paró con el equipo y oró por ella. Luego continuaron para orar por algunos casos más. De salida del pabellón, se encontraron con esta misma mujer, viendo, hablando y escuchando. ¡se presentó a sí misma como Rose!

HOSPITAL: Un chico joven recientemente había vuelto con su familia de Jartum por temor a que tomase lugar allí el referéndum. Se cayó de un árbol sobre el que estaba trepando y quedó paralizado y en dolor, sus piernas torcidas debajo de él. Nuestros estudiantes oraron por él. Su dolor se fue, sus piernas se enderezaron. Le pusieron de pie y él caminó.

ENTRENAMIENTO POLICIAL: Hace más o menos un mes notamos la llegada de unos 500 oficiales de policía, entrenando cerca de nuestro recinto. Vinieron de todo el estado. Uno de los miembros de nuestro equipo tenía una carga fuerte por ellos y comenzó a orar. Un día mientras conducíamos, tuvimos un sentimiento abrumador de que deberíamos parar. Paramos y uno de nuestros líderes principales, John, salió, fue y conoció al comandante principal. El comandante le preguntó a Juan, "¿dónde has estado? Necesitamos tu ayuda. ¡Necesitamos que alguien nos diga qué hacer con todos los ataques demoniacos que estamos experimentando!" El comandante nos invitó a venir y compartir con los estudiantes en su Academia de Policía. 495 de los 500 estudiantes decidieron seguir a Cristo y estaremos bautizándolos en nuestro estanque multiusos.

Buenas Noticias de Iris en Somalia y en el Norte de Kenya

La CNN afirma que 750.000 somalíes están en peligro inminente de morir de inanición y puede que este sólo sea el comienzo. Aunque el cuerno de África está experimentando la peor sequía en 60 años, la política es el problema principal. De nuevo, nuestro problema fundamental en este mundo no es pobreza y enfermedad, sino el pecado. Y Cristo es la única respuesta para este problema. Necesitamos enseñar como es Él a través de nuestra fe y a través de ayura real y práctica.

Nuestra visión de Iris está enfocada en el Norte de África y en que el fuego arrasador de avivamiento suba del Sur de África hasta el norte y hacia Jerusalén. Los obstáculos parecen inimaginables, ¡pero es un gozo hacer lo imposible en Su Nombre! Nos hemos estado acostumbrando a ello todos estos años.

Iris envió un equipo de exploradores, liderado por Naomi Fennel, al Norte de Kenya el mes pasado. Nuestra encargada de largo plazo para reclutar el personal de Iris. Ania Noster, junto con Ben Church, acaban de volver de cuatro días en Mogadishu. Ania reporta:

"Estoy planeando ir de nuevo con otra persona a finales de año. Quiero llevar ayuda para la escasez, aunque logísticamente es difícil, ya que las milicias matan por la comida y lo roban. Así que estoy orando y poniéndome en contacto con algunos de mis contactos en Somalia para ver como puede Iris Relief

Sudanesa, habitante de barrio pobre,
desesperadamente necesitada del Amor de Dios

meter provisiones, aunque ahora sea a través de otra agencia. Queremos proveer comida, vacunas y sábanas de plástico para hacer casas provisionales ya que la temporada de lluvias está empezando. Ya que en la mayoría de los lugares de Somalia la guerra sigue activa y a menudo las personas blancas y de visitas son secuestradas. Por ahora no estamos planeando llevar equipos más grandes. Mientras yo estaba allí, había un grupo de Francia que todavía estaba buscando su amigo que había sido secuestrado unos años atrás. Un periodista fue tiroteado en Mogadishu hace apenas unos días y otro fue herido. Es una nación madura para que la invada la Gloria de Dios. ¡Estoy deseando volver!"

Nuevas Fronteras Para Iris

Uno de nuestros valores principales en Iris siempre ha sido enfocarnos en los más pequeños – los pobres de los pobres, los más desesperados y los que tienen menos probabilidades de experimentar algo bueno en el mundo.

En estas situaciones nuestro Salvador perfecto ama revelar Su incomparable gracia y poder. Mozambique fue nuestro comienzo en África y continuará siendo el objetivo de mi atención tanto como la de Heidi. Pero conforme Iris crece y Cristo añade obreros para la cosecha, oramos por fruto en el Norte de África.

Nuestras últimas fronteras ahora son Sudán del Sur, República Democrática del Congo, expandirnos al norte de Kenya, Somalia y Etiopía. Que Cristo nos inunde con portadores de Su gloria para enfrentarnos al reto de destruir las obras del enemigo entre estos millones. De hecho, el país en África que ahora tiene sin comparación el mayor número de gente malnutrida es República Democrática del Congo, a pesar de su frondosidad y riquezas. De nuevo, la base del problema es el pecado incontrolado.

Nos atrevemos a regocijarnos a pesar del horror que está delante nuestra y en las noticias del mundo porque seguimos convencidos que tenemos un Salvador Perfecto en quien podemos poner toda nuestra fe. No somos de mucho uso si nos sentimos desanimados o aplastados.

Nuestra teología debe permanecer intacta y real. Nuestro poder está en la cruz de Jesús y en ninguna otra parte. Así que invadimos la oscuridad con la Palabra del Señor y la Sangre del Cordero.

Tiempo de Reflexión:

"Entonces me mostró al sumo sacerdote Josué, que estaba delante del ángel del SEÑOR; y Satanás estaba a su derecha para acusarlo. Y el ángel del SEÑOR dijo a Satanás: El SEÑOR te reprenda, Satanás. Repréndate el SEÑOR que ha escogido a Jerusalén. ¿No es éste un tizón arrebatado del fuego?" (Zacarías 3:1-2)

Amado, no podemos luchar en la carne. Tenemos que correr hacia el fuego todo-consumidor y santo de Dios porque es allí donde estamos seguros. El fuego santo de Dios nos purifica, limpia toda la mugre y hace huir la oscuridad. Cuando estamos en el centro del fuego, ¡Dios mismo es un muro de fuego alrededor nuestra y estamos seguros!

Es una lucha injusta. Vienen hechiceros y se plantan afuera de nuestra base en Pemba, metiendo agujas en muñecos que se parecen a nosotros, pero no tenemos miedo porque es una batalla desequilibrada. Todos los hechiceros, demonios, todo el infierno, no tienen posibilidad de ganar. Somos ramas ardientes sacadas del fuego – Su fuego santo y todo consumidor.

A lo único que hemos sido llamados es a estar en la presencia de Dios, estar donde Él quiere que estemos. Al igual que Josué, nos ponemos de pie en Su presencia y el Señor reprende a Satanás. No tenemos nada que temer cuando el Señor reprende al enemigo. Josué estaba de pie delante del Señor y no era limpio:

> "Y Josué estaba vestido de ropas sucias, en pie delante del ángel. 4 Y éste habló, y dijo a los que estaban delante de él: Quitadle las ropas sucias. Y a él le dijo: Mira, he quitado de ti tu iniquidad y te vestiré de ropas de gala. Después dijo: Que le pongan un turbante limpio en la cabeza. Y le pusieron un turbante limpio en la cabeza y le vistieron con ropas de gala; y el ángel del SEÑOR estaba allí". (Zacarías 3:3-5)

Todas las impurezas de Josué, al igual que nuestras impurezas, todo nuestro pecado, toda nuestra maldad y fealdad, son retiradas por la sangre de Jesús, nuestro Salvador perfecto. ¿Caminaremos en túnicas caras que Él nos da con amor, túnicas de justicia y victoria? No tenemos ninguna razón por la cual acobardarnos. Su amor es atrevido ¿Tomaremos el turbante que Él ofrece, para transformar nuestras mentes y maneras de pensar, para que tomemos Sus pensamientos, la mente de Cristo?

> "No por el poder ni por la fuerza, sino por mi Espíritu" —dice el SEÑOR de los ejércitos". (Zacarías 4:6)

Todo lo que tenemos ha sido dado. Todo es gracia, no podemos ganarnos Su amor. ¿Te convertirás en Su lugar de reposo? ¿Te acostarás, aún pareciendo que no haces nada que parezca útil, si Él te lo pide? ¿Sólo porque lo amas?

Amado, Él puede hacer más en un día que lo que

nosotros podríamos hacer en mil años. ¡Sí! a Jesús y ¡no! a esforzarse. ¡Y Él construirá el Templo del Señor!

¡Gracias!

Estamos asombrados por el apoyo que seguimos recibiendo. En cada una de nuestras 14 bases oramos "danos hoy nuestro pan diario". Cada día el Señor provee para nosotros, algunos días es en el último momento. La fe, la intercesión y la generosidad han rebosado en nuestras vidas y en nuestro trabajo. Cientos, incluso miles de vidas han sido profundamente transformadas a través de aquellos que comparten con el ministerio de Iris alrededor del mundo.

Con toda nuestra ayuda humanitaria especial y con todos nuestros proyectos de desarrollo, necesitamos expresar nuestra gran deuda de amor a aquellos que apoyan nuestro compromiso para alimentar, alojar y ministrar a los miles que ya están siendo cuidados en nuestra familia africana. Tenemos presupuestos gigantes mensuales en todas nuestras bases principales y es absolutamente e increíblemente sobrenatural que tantas personas en todo el mundo sean sensibles y suficientemente generosos para ayudarnos económicamente a seguir.

También estamos intensamente agradecidos por tantos de vosotros que habéis tomado el ministerio de intercesión por nosotros mientras nos enfrentamos a tantas confrontaciones serias espirituales, crisis y retos físicos. Sabemos que el fruto de nuestro ministerio es una respuesta al amor, a la fe y a las oraciones de nuestra familia de Iris por todo el mundo. Verdaderamente somos una familia y no un negocio, un ejercicio de administración o una campaña política. Que seáis ricamente y sobreabundantemente bendecidos a cambio.

Infinitas oportunidades para el servicio misionero existen con nosotros en casi cualquier área imaginable. Conforme nos encontramos con explosiones de hambre y respuestas en tantos frentes, nuestra necesidad de ministerio expandido e infraestructura administrativa aumenta al mismo nivel. Nuestra escuela de misiones se ha casi duplicado en esta etapa, pero estamos orando por ayuda en todas las áreas y direcciones. Derrama tu vida para Cristo. ¡No se puede vivir de otra manera!

Por El De Enfrente

Por mí el dio su vida
Él se llevó el dolor
Hizo latir mi corazón
Y lo llenó de amor
Entonces yo le pregunté
Cómo podía servir,
Él me mostró su corazón
Y comenzó a decir:

Detente por el de enfrente
hasta que el Reino sea evidente
De una pequeña semilla
Crece un árbol alto y fuerte
Cuando te detienes por el de enfrente.

Me mostró a los huérfanos
Sus rostros con temor
Siempre con frío y hambre
Y muerte alrededor
Niñas en sus vestidos
Ven a hombres pasar
Les regalan sus besos
Cada beso es su final

Detente por el de enfrente
hasta que el Reino sea evidente
De una pequeña semilla
Crece un árbol alto y fuerte
Cuando te detienes por el de enfrente.

Vi niños sin propósito
Dejando atrás niñez
Obligados sin opción
Llevados al crimen
Drogas para aliviar
No acaban con tristeza
Hasta mañana habrá paz
Y otra vez comienza

Jesús se detuvo por ellos
Se detuvo por el ladrón
Por la mujer del pozo,
Y por mí también paró
Dijo de ir y amarnos
Hasta que llegue el final
En el mundo habrá tribulación
Más la victoria vendrá

Él dijo...

Detente por el de enfrente

hasta que el Reino sea evidente

De una pequeña semilla

Crece un árbol alto y fuerte

Sólo detente por el de enfrente,

Hasta que aquí en la tierra

Mi voluntad sea evidente

Conforme tú, te detienes por el de enfrente

(Claire Vorster, 2012)

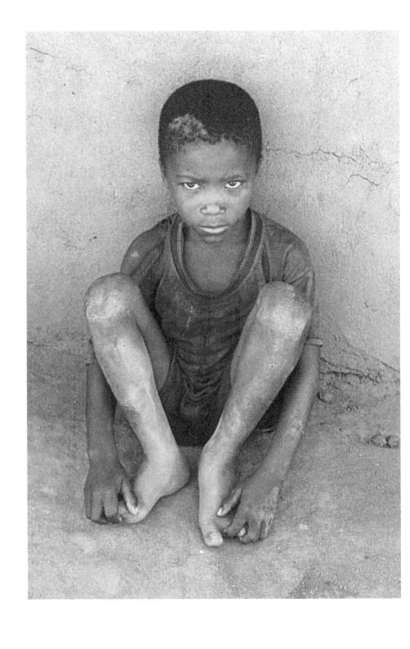

Acerca de Iris

Ministerios Iris es una organización cristiana comprometida a expresar una respuesta viva y tangible a aquellos mandamientos que Cristo llamó mayores: "Amarás al Señor tu Dios con todo tu corazón, y con toda tu alma, y con toda tu mente" y "a tu próxjimo como a ti mismo". Es nuestra convicción que el Espíritu de Dios nos ha pedido hacer que este amor sea tangible en el mundo, encarnado en nuestros pensamientos, nuestros cuerpos, nuestras vidas, y en cada acción. Ministerios Iris existe para participar en traer el Reino de Dios a la tierra en todos los aspectos, pero especialmente a través de un llamado particular para servir a los más pobres: los destituídos, los perdidos, los quebrantados y los olvidados.

Hemos sido enviados a lugares donde el "amor" diariamente debe significar pan para los hambrientos, agua para los sedientos y sanidad para los enfermos. Debe significar una familia para el huérfano, libertad para los cautivos y paz para los devastados por la guerra. Queremos siempre hacer que nuestro amor sea real en estas maneras, durante el tiempo que los pobres estén con nosotros. Nuestro ministerio está construido en torno a la aplicación del Evangelio en algunas de las circunstancias de mayor desesperación en esta tierra, económica y espiritualmente, con toda la valentía con la que somos capaces en Cristo.

Conforme buscamos demostrar el corazón de Dios al derramar este amor, hemos encontrado que también somos bendecidos constantemente con muchos tesoros destapados en los corazones de aquellos a quienes somos enviados a servir. Creemos que es también una parte importante de nuestro llamado el compartir estos tesoros con todo el cuerpo de Cristo. Por lo tanto es nuestra esperanza, que cada una de nuestras pruebas, nuestros testimonios y nuestras victorias, puedan en sí convertirse en vida y ánimo para la Iglesia entera – "hasta que todos lleguemos a la unidad de la fe y del conocimiento pleno del Hijo de Dios, a la condición de un hombre maduro, a la medida de la estatura de la plenitud de Cristo". Mientras nuestros esfuerzos principales están enfocados en los más pobres de los pobres, nos mantenemos constantemente alerta de que somos capaces de hacer esos esfuerzos a través de la asombrosa fe y generosidad de hombres y mujeres de todas las condiciones sociales y de todas las esquinas del planeta. Al igual que Dios ha provisto para nosotros de esta manera, también creemos que juntos podemos recibir nuestra mayor recompensa, como miembros de una sola persona – un cuerpo, una novia.

A nivel nacional estamos comprometidos a trabajar con líderes indígenas, con el propósito de facilitar líderes civiles, fuertes y capaces que a fin de cuentas podrán tomar las riendas de las principales actividades de Iris en el país. En nuestro hogar de Mozambique estas incluyen el construir escuelas, centros infantiles, hogares e iglesias; programas extensos de alimentación; evangelismo y sanidad; perforar pozos; cuidado médico; programas de entrenamiento para ministros locales e internacionales; organización de conferencias y cuidado local pastoral. En Mozambique, sin excepción, también estamos comprometidos a ofrecer un hogar a cada niño que encontramos que no tenga familia. Conforme nuestra capacidad administrativa ha crecido hemos tenido el privilegio de extender muchas de estas actividades a otras naciones, una lista creciente la cual actualmente incluye Brasil, La República Democrática del Congo, India, Indonesia, Israel, Kenia, Madagascar, Malawi, Nepal, Sierra Leona, Sudáfrica, Corea del Sur, Sudán y Tanzania.

Ministerios Iris ha trabajado con una amplia gama de iglesias con una variedad de trasfondos teológicos. Creemos en el poder presente y en el deseo del Espíritu Santo para guiar, enseñar, inspirar profecía, dar dones de todo tipo y obrar señales, milagros y prodigios. Estamos comprometidos a permanecer sensibles, flexibles y obedientes a la guía diaria del Espíritu Santo, desde la menor de nuestras decisiones administrativas hasta la mayor. Estamos cercanamente afiliados con Bethel Church en Redding, California y pertenecemos a la red de iglesias Revival Alliance and Partners in Harvest.

Acerca de Rolland y Heidi

Heidi nació y creció en Laguna Beach, California. A los dieciséis años fue llevada al Señor por un predicador Navajo mientras trabajaba en una reserva Choctaw con el American Field Service. Su experiencia de conversión fue una experiencia radical; unos meses más tarde tuvo una visión abierta que duró varias horas. En la visión, el Señor habló con ella y le dijo que sería una ministra y misionera a África, Asia e Inglaterra. Cuando regresó a Laguna Beach empezó a ministrar con cada oportunidad, dirigiendo equipos misioneros de corto plazo y matriculándose en Southern California College (ahora llamado Vanguard University) como preparación para ir al extranjero.

Rolland Baker nació como hijo de misioneros Americanos en Kunming, en la provincia China de Yunnan. Criado hasta los dieciocho años en China y Taiwan, es un misionero de tercera generación tanto por el lado de su padre como el de su madre. Desde la infancia fue enormemente influenciado por su abuelo, Harold A. Baker, quien escribió Visions Beyond the Veil, una narración de las visiones extensas del cielo y del infierno que sus niños rescatados tuvieron en el orfanato de Adullam en el Suroeste de China durante el comienzo de los años 1930. Más tarde, también fue grandemente influenciado por la narración de Mel Tari de avivamiento en Indonesia, narrado en el libro *Like a Mighty Wind*. Después de venir a Estados Unidos para asistir a la universidad, tuvo un gran deseo de dedicarse a un ministerio en el cual los mismos tipos de señales y maravillas sobrenaturales pudiesen fluir libremente. Conoció a Heidi en una iglesia pequeña carismática en el Sur de California, mientras ella estaba asistiendo a Southern California College. Seis meses más tarde se casaron, unidos en su deseo y llamado de buscar un derramamiento extremo del Espíritu Santo entre los desesperados, pobres y perdidos en el mundo no-evangelizado.

Juntos, en 1980 Rolland y Heidi fundaron Ministerios Iris, al principio dirigiendo campañas de drama y danza en Filipinas, Taiwan, Indonesia y Hong Kong. Fueron ordenados ministros en 1985 después de licenciarse y obtener una maestría en Estudios Bíblicos y Liderazgo de Iglesia. Más tarde se mudaron a Indonesia y luego a Hong Kong, plantando iglesias y trabajando predominantemente en los barrios bajos con drogadictos, pandilleros, sin techo y ancianos.

En 1992, después de más de una década de vivir y ministrar en el Sureste de Asia, se mudaron a Inglaterra para completar estudios doctorados en Teología Sistemática en la Universidad de Londres. Mientras estudiaban, sirvieron como pastores principales de Believer's Centre church y continuaron ministrando extensamente entre los sin techo. Heidi Baker completó su doctorado en 1995. Más tarde ese mismo año, Rolland y Heidi se trasladaron a Mozambique junto con sus hijos Crystalyn y Elisha.

Rolland y Heidi permanecerieron en Maputo, la capital de Mozambique, durante casi una década, estableciendo varios centros infantiles permanentes y estableciendo una red de iglesias. En el 2004 se mudaron a la ciudad costera de Pemba en el norte, donde residen en la actualidad. Además de servir como los directores de los Ministerios Iris, Rolland y Heidi ahora viajan por todo el mundo, hablando en eventos y campañas organizadas por una amplia variedad de denominaciones cristianas. Cuando están en casa, además de enseñar regularmente en la escuela de misiones Harvest, también dirigen muchas campañas en camión, barco y avión a través del bush remoto de Mozambique, ministrando a la iglesia mozambiqueña y predicando el evangelio a las aldeas que quedan sin alcanzar en el norte.

Made in the USA
Monee, IL
03 September 2024

65069875R00125